D1650156

LA NUIT DU VAUDOU

Déjà parus

dans la collection « Turquoise »

ODILE GRANVILLE

LA NUIT
DU VAUDOU

Turquoise Médaillon

PRESSES DE LA CITÉ

9797 rue Tolhurst, Montréal H3L 2Z7 - Tél.: 387-7316

© Presses de la Cité, 1981
ISBN 2-258-00835-2

©Les Presses de la Cité, Montréal 1981
ISBN - 2-89116-084-3

1

Accoudé à la fenêtre de sa chambre, Michel de Brétigny fumait une dernière cigarette. Il n'avait pas sommeil. En cette période de canicule, la nuit n'apportait aucune fraîcheur. Il semblait, au contraire, que la terre accablée restituât toute la chaleur accumulée pendant le jour. Dans le parc entourant la propriété, la végétation, roussie par le soleil trop brûlant, était immobile.

Le jeune homme allait quitter la croisée quand un bruit insolite l'arrêta. Un long moment, il écouta. Il perçut le son mat d'un battement frappant l'eau à un rythme cadencé. Quelqu'un nageait dans la piscine de la propriété. Qui cela pouvait-il être? Il était seul dans la gentilhommière avec les domestiques, mais tous avaient passé l'âge d'apprécier les joies du bain de minuit. Sauf peut-être le petit fils de Mathieu, le gardien, en vacances chez son grand-père, qui s'offrait une baignade nocturne?

Intrigué, Michel se pencha à la fenêtre. Il perdit du temps à chercher une trouée entre les arbres; leur feuillage encore touffu formait écran et le gênait. Après plusieurs tentatives infructueuses, il aperçut enfin la piscine, dont l'eau miroitait comme une plaque scintillante. Il ne put rien distinguer de précis. « Je suis curieux de savoir qui est dans l'eau à une heure aussi tardive », se demanda-t-il, sans cesser d'observer.

Mais, juste à ce moment, le bruit cessa. La baignade était terminée.

Michel ouvrit tout grands les yeux pour mieux voir. Il discerna une main, puis un bras, qui apparut sur le rebord du bassin. Quelqu'un se hissait avec souplesse hors de l'eau. Le jeune homme ne peut retenir une exclamation de stupéfaction en découvrant la silhouette qui apparaissait.

C'était celle d'une femme très jeune qu'il voyait pour la première fois.

Ruisselante, elle surgissait telle Vénus sortant de l'onde. L'inconnue était grande et svelte. Se croyant seule dans la chaleur de la nuit, elle avait ôté le soutien-gorge de son bikini pour se baigner. Elle fit quelques pas au bord de la piscine et s'étira lentement avec une grâce infinie. Ses bras, élevés en corbeille, ondulèrent, ce qui fit se dresser ses seins ronds et fermes et accentua la cambrure de ses reins. Se haussant sur la pointe des pieds, elle étira de même ses jambes fuselées.

Un rai de lune tombait juste sur elle. Sous le halo lumineux, sa peau humide avait des éclats dorés, ses longs cheveux d'un blond vénitien étincelaient telle une coulée de flamme.

Elle rejeta la tête en arrière et, les yeux mi-clos, tendit son visage vers la voûte étoilée.

Dans cette attitude d'offrande, l'inconnue semblait rendre quelque culte ingénu à la nature. Elle se révélait, dans sa demi-nudité, aussi innocente et aussi pudique qu'Ève au jardin d'Éden.

Michel resta cloué sur place par la surprise. Lui, le don Juan aux innombrables conquêtes, était hypnotisé par cette apparition. Il contemplait, admiratif, le plus joli corps de femme qu'il eût aperçu de sa vie.

8

Toujours debout sur la margelle du bassin, la baigneuse, ignorant l'admiration qu'elle provoquait, secoua sa chevelure, l'épandit sur ses épaules et, du bout des doigts, la lissa longuement pour en faire égoutter l'eau.

« Il faut à tout prix que je sache qui est cette merveilleuse ondine », décida Michel.

Brusquement, il se redressa. Dans sa hâte, il renversa une petite table qui, en tombant, heurta la fenêtre et fit résonner les vitres. Le bruit se répercuta dans le silence nocturne.

Là-bas, la jeune fille avait entendu. Elle eut un sursaut de biche effarouchée et disparut sous la ramée.

Michel enfila précipitamment sa robe de chambre et quitta la pièce. Il dévala l'escalier, traversa le vestibule, sortit de la gentilhommière. A travers le parc, il courut en direction de la piscine.

Quand il y arriva, il n'y avait plus personne.

Il laissa échapper une interjection de dépit. A plusieurs reprises, il appela. Aucune réponse ne lui parvint. Il insista, fit le tour du bassin tout en s'interrogeant : « Où est-elle passée? Je n'ai tout de même pas rêvé! C'était bien une femme en chair et en os, pas une illusion. »

A l'endroit où l'inconnue s'était arrêtée, il découvrit une flaque d'eau et des traces de pas.

Il battit sans succès les bosquets alentour.

Un nuage voila la lune, plongeant le parc dans l'obscurité. A pas lents, Michel reprit le chemin de la gentilhommière.

Il regagna sa chambre et se jeta sur son lit. Plus question de dormir. La curiosité le tenaillait et il était furieux contre lui-même, il regrettait de ne pas s'être précipité tout de suite à la piscine. D'où venait cette inconnue? Qui était-elle? Peut-être l'habitante d'une des propriétés voisines, devenue amie de sa mère et conviée par elle à venir se baigner quand elle le voudrait? Mais vient-on nager chez des étrangers, même très amis, au beau milieu de la nuit? Quelque jeune excentrique, sans doute. Excentrique peut-être, ravissante à coup sûr. Et maintenant où se cachait-elle?

Sa vue avait produit une si forte impression sur Michel qu'il se jura que, dès le lendemain, il ferait tout pour éclaircir le mystère de la séduisante naïade.

Mathieu, le gardien, ouvrit le lourd portail en fer forgé qui fermait la propriété et hâta le pas pour rejoindre le garage à l'entrée du parc.

— Avez-vous passé une bonne nuit, Monsieur Michel? questionna-t-il. Vous n'êtes pas resté longtemps. Quelle surprise j'ai eue de vous voir arriver hier au soir à l'improviste, je ne vous attendais pas si tard. Excusez-moi de vous avoir fait attendre, la Mélie et moi on dormait déjà.

— Ne vous tourmentez pas, Mathieu. Moi non plus, je ne pensais pas arriver à une heure aussi indue. Mais Paris est une fournaise, je ressentais un besoin de fraîcheur et de verdure que je croyais trouver en Normandie. Pourtant, même ici, il fait bien lourd.

— Ça, pour faire chaud, on peut dire qu'il fait chaud! En août, on a eu de la pluie presque tous les jours et maintenant, en septembre, c'est censément la canicule. Hier, il y a eu plus de 34° au soleil. On se demande d'où ça peut venir.

— Et autrement, rien à signaler?

— Rien, Monsieur Michel, à part la sciatique de Mélie qui lui travaille les membres.

— Rien d'autre?

— Comme vous le savez, votre mère, Madame de Brétigny, a dû rentrer précipitamment à Paris à l'annonce du décès de votre grand-tante, la comtesse. Je vous fais mes condoléances, Monsieur Michel. Enfin, elle s'est endormie pendant son sommeil, à quatre-vingt-douze ans c'est un bel âge!

— Oui, d'autant que jusqu'au bout elle est restée une femme de tête. J'aimais beaucoup ma grand-tante.

— Et vous repartez si vite? De si bonne heure?

— Je dois absolument regagner Paris, nous avons une réunion de famille chez le notaire dans la matinée pour l'ouverture du testament de ma grand-tante. Mais, réflexion faite, je reviendrai sitôt après avec ma mère. Il fait trop chaud pour rester en ville.

— Bien, Monsieur Michel.

Le jeune homme monta en voiture et se tourna vers Mathieu.

— En somme, dit-il d'un ton désinvolte, j'étais seul cette nuit dans la gentilhommière, à part le personnel, je suppose? Ma mère n'a pas d'invités en ce moment?

— Non, il n'y avait que vous et le personnel.

— Il m'a semblé voir une femme dans le parc cette nuit. Y aurait-il quelque amie de ma mère autorisée à venir se baigner dans la piscine?

— Une femme dans le parc? C'te nuit? Quelle femme? questionna Mathieu, éberlué.

— Très jeune. Une grande fille, belle, aux longs cheveux blond roux.

La bouche ouverte d'étonnement, les yeux écarquillés, Mathieu regardait son interlocuteur.

— Faites excuse, Monsieur Michel, balbutia-t-il, je ne comprends pas ce que vous dites.

Il repoussa sa casquette et se gratta la tête en un geste de perplexité.

— Je ne vois pas, non vraiment je ne vois pas. Où c'est-y que vous l'avez vue?

— Ça ne fait rien, coupa Michel. Aucune importance.

Il claqua la portière de son cabriolet grand sport, leva la

main en signe d'adieu et démarra brusquement, en faisant crisser le sable de l'allée.

— Mon Dieu, mademoiselle, que vous êtes donc maladroite!

La secrétaire, ainsi apostrophée, se précipita. Le plateau d'argent, sur lequel elle avait présenté le courrier à Mme de Brétigny, avait basculé et était tombé sur le tapis.

Eût-elle été loyale, Mme de Brétigny aurait reconnu que c'était elle qui avait fait chavirer le plateau en le repoussant d'un geste nerveux. Mais il aurait été vain d'espérer la voir faire amende honorable, il n'entrait pas dans ses habitudes de reconnaître ses torts, encore moins ce jour-là. Elle était revenue de Paris au début de l'après-midi, d'humeur massacrante, et, depuis son arrivée à Yvonville, elle n'avait ouvert la bouche que pour gronder ou critiquer.

Aussi la jeune fille qui faisait office de secrétaire ne prit-elle pas la peine de répliquer. Elle ramassa le plateau et les lettres éparses et remit le tout sur la table.

Déjà, Mme de Brétigny l'interpellait à nouveau :

— Je parie que vous avez encore oublié de réclamer auprès de mon agent d'assurances au sujet des dommages subis par la Mercedes, comme je vous avais demandé de le faire. C'est une affaire qui traîne, vous ne vous en occupez pas.

— Je me permets de vous rappeler, madame, que tout dépend maintenant du rapport de l'expert. Il doit l'envoyer sous huitaine. Jusque-là, nous ne pouvons rien faire d'autre qu'attendre.

Mme de Brétigny haussa les épaules. Elle continua de dépouiller son courrier et de distribuer ses instructions en rafales :

— Voilà des factures à régler. Ceci est un paquet d'invitations, vous m'excuserez et préciserez qu'en raison

12

de mon deuil je ne puis les accepter. Vous rédigerez une lettre courte mais aimable. Aimable suivant le rang de la personne qui invite, bien entendu. Je vous en laisse la responsabilité. Comme je vous l'ai dit cent fois, je ne veux pas avoir à m'occuper de ces détails. Ah! si, pourtant! Vous m'en montrerez une, la lettre destinée à l'Ordre des chevaliers de Malte. C'est très important, le président est un prince authentique. J'ajouterai quelques lignes à la main. A tout seigneur, tout honneur!

— Bien, madame.

La secrétaire s'apprêtait à poser une question, mais elle en fut empêchée par l'arrivée d'un jeune homme qu'elle ne connaissait pas. Mme de Brétigny fit un signe amical à l'arrivant.

— J'en ai terminé tout de suite, dit-elle. A propos, je crois que vous ne vous connaissez pas encore. Je te présente ma nouvelle secrétaire, Irène Lemonnier. Mon fils, Michel.

Michel de Brétigny s'avança et tendit la main à la jeune fille.

— Bonjour, mademoiselle.

— Bonjour, monsieur.

Le regard de Michel ne s'attarda pas sur la secrétaire. La jeune personne n'avait rien qui pût retenir l'attention d'un homme. Sa silhouette était ensevelie sous une jupe trop longue et une marinière informe. Ses cheveux tirés en arrière et rassemblés sur la nuque en un chignon serré disparaissaient sous une résille en velours chenille marron qui lui couvrait la tête comme un bonnet. Des lunettes, aux verres sombres, à l'épaisse monture, lui dévoraient le visage.

— Michel, j'ai absolument besoin de te parler, fit Mme de Brétigny.

La secrétaire ramassa ses papiers pour se rendre à la bibliothèque où elle s'était installée pour travailler. Elle traversa le salon d'une démarche hésitante, rendue peut-être encore plus gauche par ses solides chaussures aux lourdes semelles.

Irène achevait de taper sa dixième lettre quand la porte s'ouvrit brusquement et Michel de Brétigny fit irruption en coup de vent.

— Pardon, s'excusa-t-il, je ne savais pas que vous étiez ici. J'en ai juste pour deux minutes, je viens chercher quelques livres.

Il se planta devant les rayons de la bibliothèque et les examina du regard.

— Je n'y retrouve plus rien, dit-il, agacé. Tout est chambardé. Mademoiselle, pourriez-vous m'aider? Savez-vous où on a placé les livres de droit? Je cherche le Code civil.

Irène se leva et désigna un des rayons.

— Ils sont tous classés là. Tenez, voici le Code civil.

Elle prit le livre et le tendit au jeune homme. Celui-ci remercia. Il s'appuya au mur, ouvrit le Code et le compulsa.

Debout près de lui, feignant de vérifier la bonne ordonnance des volumes, Irène observait à la dérobée Michel de Brétigny, absorbé dans sa lecture.

Dès l'abord, on était frappé par la vitalité débordante qui émanait de sa personne. Très grand, bien bâti, large d'épaules, blond, d'un blond un peu cendré qui contrastait avec ses yeux bruns et son teint mat, il possédait le physique viril et séduisant qui attire le regard des femmes et déplaît aux autres hommes. Tout en lisant, il passait sa main aux longs doigts nerveux sur son menton volontaire. Ses sourcils froncés se rapprochaient, formant deux petites rides verticales sur son front lisse.

Il était simplement vêtu d'un pantalon de toile blanche et d'une chemise, blanche également, au col largement ouvert, qui soulignait sa carrure athlétique.

Irène alla se rasseoir à sa table.

14

Au bout d'un moment, Michel interrompit sa lecture.

— J'emporte le livre, dit-il, j'en ai besoin pendant quelques jours.

Sans même jeter un coup d'œil à la secrétaire, il sortit.

Irène regarda disparaître la haute silhouette. Elle semblait avoir oublié son courrier. Songeuse, elle tournait et retournait machinalement entre ses doigts un coupe-papier en ivoire. Enfin, elle poussa un profond soupir, posa son coupe-papier et se remit au travail.

— Alors, mademoiselle Lemonnier, où dînerez-vous ce soir?

Perplexe, Georgette, la femme de chambre, posait la question. Elle était venue trouver Irène dans la bibliothèque pour l'interroger. Elle ne voulait pas la froisser ni s'attirer les foudres de Mme de Brétigny en commettant un impair.

Dès l'engagement d'Irène en qualité de secrétaire à demeure, logée et nourrie, l'épineuse question des repas s'était posée. Mme de Brétigny estimait en elle-même inacceptable que la secrétaire prît ses repas à la table des maîtres, mais elle n'avait tout de même pas osé proposer à la jeune fille de les prendre à la cuisine. La question avait finalement été résolue par un accommodement qui ménageait la fierté des deux parties : les repas de Mlle Lemonnier lui seraient servis dans sa chambre. C'était Georgette qui s'acquittait de cette mission.

— Mais comme d'habitude, répondit Irène, surprise de cette demande.

— Je voulais m'en assurer, des fois qu'il y aurait eu quelque chose de changé.

— Pourquoi y aurait-il quelque chose de changé?

— Je ne sais pas, moi. On aurait pu vous inviter à dîner à la salle à manger.

Irène eut un petit sourire.

— L'idée n'est certainement pas venue à l'esprit de Mme de Brétigny. Et à son fils, encore moins.

— Il est vrai que ce soir...

Georgette s'approcha. Elle se pencha vers Irène et, bien qu'elles fussent seules toutes les deux, elle baissa le ton :

— Pour l'instant, Madame de Brétigny est sortie avec son fils, ils sont allés voir le curé pour les obsèques. Ils vont sûrement soigner la cérémonie. Vous pensez, la comtesse de Brétigny était une tante à héritage. Riche comme Crésus. Elle possédait des plantations de canne à sucre à la Martinique. Une originale, pas commode elle non plus, en bisbille avec la terre entière. Ils sont les héritiers; pourtant, Madame est d'une humeur de dogue et Monsieur Michel fait la tête. Ils se sont disputés cet après-midi. Je ne sais pas ce qu'ils ont...

Irène ne répondit pas. Elle voulait éviter à tout prix de se mêler aux commérages du personnel, mais son silence ne dérangeait pas Georgette. On ne pouvait pas plus l'empêcher de parler qu'on ne pouvait empêcher la rivière de couler.

— Il y a belle lurette que Madame de Brétigny est mécontente, continua-t-elle. Bien sûr, ça la flattait que son fils ait des succès, qu'il soit la coqueluche de ces dames, mais cela ne lui a pas plu du tout qu'il ait — paraît-il — une liaison avec une femme mariée. On prétend que c'est fini avec la fameuse Nicole, allez savoir! Un si beau garçon et, de plus, un ingénieur très coté.

— Excusez-moi, l'interrompit Irène, mais j'ai encore beaucoup à faire, je dois absolument terminer ce courrier.

Georgette se redressa.

— Si cela ne vous ennuie pas trop, cela m'arrangerait que vous dîniez de bonne heure ce soir, 7 heures par exemple. On est tellement bousculés. Et la sœur de Madame de Brétigny, Mademoiselle Gabrielle de Rosay, est arrivée tout à l'heure, il faut encore l'installer.

— Faites comme vous voudrez, acquiesça Irène.

— C'est gentil à vous, cela soulagera la cuisinière. Vous pensez, il est impossible de savoir à quelle heure il faudra servir à la salle à manger. Dieu seul sait quand Madame de Brétigny et son fils rentreront et quand ils voudront dîner. Et ce n'est pas la pauvre Mademoiselle de Rosay qui peut décider quelque chose. Dans la famille, elle est la cinquième roue du carrosse!

Le parc surchauffé était comme engourdi. Assis sur un banc à l'abri d'un bosquet, Michel leva la tête et contempla le ciel où de lourds nuages s'amoncelaient. De brefs éclairs de chaleur fulguraient à l'horizon. Quelque part, une chouette hulula.

Michel consulta sa montre, dont le cadran lumineux brillait dans l'obscurité. Bientôt minuit. Il avait attendu que tout fût calme dans la gentilhommière pour se glisser au-dehors. Les lumières s'étaient éteintes une à une, dans le salon d'abord, puis dans la chambre de sa tante Gabrielle, enfin chez Mme de Brétigny. Les chambres du personnel et de la secrétaire s'ouvraient sur la façade opposée. Il avait toutes les chances de ne pas être vu.

A plusieurs reprises, au cours de la journée, Michel avait posé des questions insidieuses, sans rien apprendre qui pût le mettre sur la bonne piste. Aussi s'était-il dissimulé avec précaution près de la piscine pour mieux guetter la belle naïade et ne pas risquer de l'effaroucher en se montrant trop tôt. Son souvenir ne le quittait pas, il en était obsédé.

Comme la veille, elle allait apparaître au bord du bassin, rayonnante de tout l'éclat de sa peau et de l'or flamboyant de ses cheveux. Avec son corps délié comme celui d'un tanagra, ses gestes harmonieux, toute cette beauté en mouvement, elle incarnait la grâce de l'éternel féminin, son mystère aussi.

A mesure que le temps passait, l'impatience de Michel grandissait.

Un sourd grondement se fit entendre. Un immense éclair jaillit, illuminant le parc comme si on eût allumé une gigantesque fusée de feu d'artifice. Le vent s'était brusquement levé et agitait les frondaisons de façon désordonnée.

« Voilà bien ma chance! maugréa Michel. Nous allons avoir un orage, elle ne viendra pas. »

Malgré tout, il se refusait à rentrer. Peut-être l'inconnue était-elle déjà là? Elle allait avoir peur, il pourrait la rassurer, l'aider à se réfugier quelque part... Il sortit de son abri et s'approcha de la piscine. Il en fit plusieurs fois le tour et en scruta les abords.

Il était seul.

Les premières gouttes de pluie commençaient à tomber, drues et rapides. En quelques minutes, une trombe d'eau s'abattit sur le parc. Le jeune homme lança une exclamation de désappointement. Il fallait renoncer pour ce soir.

Il eut beau regagner la gentilhommière au pas de course, lorsqu'il y arriva il était trempé jusqu'aux os.

Le lendemain, Michel se remit en faction auprès de la piscine.

Mais la belle inconnue ne revint pas. Ni le soir d'après ni les autres qui suivirent. En vain l'attendait-il. Avait-elle disparu à tout jamais? Cette femme si belle existait-elle vraiment ou n'était-elle qu'un mirage né de son imagination, évanoui dans l'ombre de la nuit?

2

Toute la journée, la chaleur avait été étouffante. La canicule, partie des États-Unis, déferlait sur l'Europe, la transformant en fournaise. On atteignait le record de l'année 1911, où la température était montée à 35° 8 en septembre. Il fallait arroser les pelouses et les fleurs deux fois par jour et on récoltait à pleins paniers les fraises remontantes.

Des invités étaient arrivés à la gentilhommière pour le week-end : Nicole et Charles Bellanger, un couple assez disparate — et désuni — prétendait Georgette, la femme de chambre. Ils se trouvaient avec la famille Brétigny au salon, où un bridge avait été organisé.

Irène avait regagné sa chambre pour le dîner. Maintenant, la nuit venait. C'était le moment que la jeune fille redoutait le plus. Au cours de la journée, elle avait beaucoup à faire et Mme de Brétigny, patronne exigeante, ne lui laissait pas un instant de répit. Mais, quand elle se retrouvait entre les quatre murs de sa chambre, elle ressentait durement le poids de sa solitude. Elle se ressaisit pourtant.

« Il n'est pas bon, pensa-t-elle, de se laisser aller ainsi à la tristesse. Je ferais beaucoup mieux d'aller mettre de l'ordre

19

dans mes papiers à classer. A cette heure-ci, personne ne me dérangera et ce sera plus utile que de rester à me languir dans ma chambre. »

Sans bruit, elle descendit et gagna la bibliothèque. La vaste pièce n'était éclairée que par les appliques. Debout devant une des fenêtres se tenait Gabrielle de Rosay, le regard fixé sur l'allée sablée et les massifs de fleurs qui s'épanouissaient sur la pelouse.

A l'entrée d'Irène, elle ne bougea pas. La lumière frisante jouait sur son visage, accusant l'expression de mélancolie dont il était empreint. Elle paraissait perdue dans sa contemplation.

— Bonsoir, mademoiselle, dit la jeune fille.

Gabrielle de Rosay ne répondit pas.

Irène répéta plus haut :

— Bonsoir, mademoiselle.

La vieille demoiselle tressaillit et se retourna. Un instant, son regard, comme troublé par une violente émotion, erra sur divers objets, puis se posa sur la jeune fille.

— Bonsoir, murmura-t-elle.

— Excusez-moi de vous avoir dérangée, dit Irène, je croyais que la bibliothèque était vide et j'étais descendue pour mettre de l'ordre dans les papiers.

— Je vous cède la place.

La voix de la vieille demoiselle était douce et effacée, comme toute sa personne.

— J'ai quitté ma retraite du Midi en raison de notre deuil, continua-t-elle. Il y a si longtemps que je ne suis pas revenue à Yvonville. J'y ai grandi, c'était notre maison de famille. Je voulais revoir la bibliothèque.

Elle désigna les murs et remarqua d'un ton altéré :

— On a changé toutes les boiseries. Pourquoi a-t-on enlevé les anciennes? Elles étaient si belles, patinées par les ans. Quand a-t-on fait cela?

20

— Je l'ignore. Je ne suis la secrétaire de Mme de Brétigny que depuis un mois.

— C'est la plus belle pièce de la maison.

— Assurément.

La sincérité de l'approbation d'Irène ne pouvait être mise en doute. Elle aimait séjourner dans la bibliothèque. Située au premier étage de la tourelle accotée à l'angle ouest de la gentilhommière, la pièce était vaste, ronde, éclairée par trois hautes fenêtres s'ouvrant, à hauteur d'arbre, sur trois aspects du panorama. Lorsqu'elle s'embrasait aux feux du couchant, la bibliothèque semblait être suspendue entre ciel et terre, entre le passé et le présent, telle une nacelle coupée du reste de la maison.

Tout au long des murs couraient des rayons chargés de livres; certains fort anciens, écrits en latin et dorés sur tranche, montraient des reliures armoriées que le temps effritait.

Gabrielle de Rosay tendit la main vers le grand bureau Empire. Elle en effleura le bois d'un geste tendre comme une caresse.

— Il est toujours là, murmura-t-elle pour elle-même.

Il y eut un silence.

— Autrefois, tout était si différent, reprit la vieille demoiselle. Le grand pin parasol, sous les branches duquel je me cachais étant enfant, a été abattu. Seul subsiste le paulownia devant la maison, il est toujours aussi beau.

Rêveuse, elle ajouta :

— Ce parc, cette bibliothèque, c'est toute ma jeunesse!

Ces réflexions étaient, somme toute, assez banales. Pourtant, à cause peut-être de la profonde émotion sous-jacente qu'elle percevait, Irène se sentait inexplicablement gênée, comme si elle eût surpris des confidences qui ne lui étaient pas destinées. Elle s'apprêtait à se retirer, Mlle de Rosay la devança.

— Je ne veux pas vous empêcher de travailler ni vous retarder.

Elle sourit d'un air affable. Ses yeux étaient bleus et limpides comme ceux d'un enfant.

— Je me sauve, ajouta-t-elle.

Irène était frappée du contraste entre les deux sœurs : l'une si douce, l'autre si autoritaire et si revêche. L'enfance de Gabrielle n'avait pas dû être facile tous les jours!

La jeune fille se souvenait que Mme de Brétigny avait fait allusion à sa sœur en évoquant sa venue. Gabrielle de Rosay était toujours restée célibataire. Très tôt, elle s'était retirée dans une petite maison de l'arrière-pays provençal, où elle vivait seule. Il y avait des années que les deux sœurs ne s'étaient pas revues.

Irène remit en place les dossiers. Avant de regagner sa chambre, elle décida de choisir un livre pour lire avant de s'endormir. Devant les rayons, elle balança entre un roman et un récit de voyage et consulta les titres. Elle prit deux ouvrages et les feuilletait quand, tout à coup, la porte s'ouvrit : Michel de Brétigny apparut dans l'entrebâillement. Il entra furtivement et resta posté derrière la porte, le dos tourné à la pièce, l'oreille collée au battant pour mieux entendre ce qui se passait dans le corridor.

Toute à son étonnement, Irène ne bougea pas mais un des livres qu'elle tenait à la main lui échappa et tomba sur le parquet. Le bruit fit sursauter Michel qui se retourna tout d'un bloc. A la vue de la jeune fille, il parut gêné d'être surpris par elle dans cette attitude de conspirateur.

— Rassurez-vous, dit-il, c'est un jeu. Mais ne vous dérangez pas pour moi. Vous aimez lire, je vois, car je présume que vous ne travaillez pas à cette heure-ci?

Il s'efforçait de paraître calme mais on devinait son trouble à la crispation de ses mâchoires. Un moment, il parut hésiter, puis il s'assit résolument sur un des coins du grand bureau Empire, tout près d'Irène.

— Quel genre de livres préférez-vous?

Il semblait poursuivre une conversation commencée dans des circonstances mondaines. Irène, qui s'apprêtait à quitter la bibliothèque, dut répondre.

— Les belles histoires d'amour ont, en général, ma préférence.

— Très intéressant.

« Il dit n'importe quoi, pensa la jeune fille. Il a l'air inquiet. Que se passe-t-il? »

— Pourriez-vous me conseiller? reprit-il. Je cherche quelque chose de passionnant... Qu'avez-vous lu ces derniers temps?

Devant cette soudaine loquacité, l'étonnement d'Irène allait croissant. Depuis plus d'une semaine qu'il était arrivé, Michel de Brétigny ne lui avait pas adressé dix paroles.

« Il cherche visiblement à me retenir, il doit avoir ses raisons, songea-t-elle. Il est préférable pourtant que je ne reste pas. »

Un bruit de pas précipités retentit. Cette fois, la porte fut ouverte bruyamment et Charles Bellanger surgit. Ses traits contractés, son teint rouge brique, ses gestes saccadés, tout indiquait qu'il était en proie à une grande fureur.

La vue d'Irène à côté de Michel parut le surprendre et stoppa son élan.

Michel le regardait d'un air flegmatique. Quand il prit la parole, sa voix avait une intonation métallique :

— Vous arrivez bien, Charles, j'étais en train de décider Mlle Lemonnier à se joindre à nous pour un bain de minuit. Qu'en dites-vous? Par cette chaleur, ce serait agréable.

La jeune fille voulut protester, Michel ne lui en laissa pas le temps :

— N'est-ce pas, Irène, que vous êtes d'accord?

Interloquée, elle resta bouche bée. Soupçonneux, le regard de Charles allait de l'un à l'autre. Déjà, il attaquait :

— Où est ma femme?

Il y eut un bref moment de silence chargé de tension. Chacun savait ce que l'autre pensait mais chacun déguisait sa pensée avec des mots.

— Je l'avais emmenée pour lui montrer le nouvel éclairage de la piscine, elle doit avoir maintenant regagné sa chambre. Il faut la prévenir que nous l'attendons, voulez-vous vous en charger?

Michel avait parlé avec désinvolture.

— Je vous croyais avec elle dans le parc, insista Charles.

— Moi? Je bavardais ici tranquillement avec Mlle Lemonnier.

Charles jeta un regard haineux au jeune homme et sortit sans mot dire.

— Je vous en prie, mademoiselle Lemonnier, faites ce que je vous demande : venez vous baigner ce soir avec nous. Je n'ai pas le temps de vous expliquer maintenant la situation...

Le ton de Michel devenait pressant. Il posa la main sur l'épaule de la jeune fille.

— Mais je vous le demande comme un service personnel. Il ne s'agit pas seulement de moi...

A travers l'étoffe de son chemisier, Irène sentait la chaleur de la main de Michel. Elle voyait ses yeux assombris, l'expression anxieuse de son visage.

— Ce n'est pas possible, balbutia-t-elle.

— Je vous en prie!

— Je ne peux absolument pas...

— Pourquoi?

— Serait-ce donc si grave si je refusais?

— Plus que vous ne pouvez l'imaginer.

« Jamais Mme de Brétigny ne pardonnera à sa secrétaire d'avoir pris un bain de minuit en compagnie de son fils! », pensa Irène.

— Acceptez, je vous en conjure!

— Bon! céda la jeune fille. Laissez-moi le temps d'aller me changer. Mais j'ai tort d'accepter.

Michel laissa échapper un soupir de soulagement.

— A tout de suite à la piscine. Croyez-moi, je saurai me souvenir de l'immense service que vous me rendez. Je vous attends.

Irène eut un geste fataliste.

— Vous l'aurez voulu, soupira-t-elle.

La mine hargneuse, Charles se tenait assis sur un banc de pierre au bout de la piscine. Il ne desserrait pas les dents.

— Viens-tu te baigner? questionna Nicole d'un ton engageant.

— Non.

— Pourquoi? L'eau doit être bonne à cette heure-ci.

— Elle est formidable, jeta Michel, s'ébrouant entre deux brasses papillon.

Charles ne bougea pas. Nicole, non plus, ne semblait pas décidée à se baigner tout de suite. Debout au bord du bassin, elle tâtait l'eau du bout de son pied, allongeant la jambe pour la faire valoir car Michel avait fait demi-tour et nageait maintenant vers elle.

Il la vit soudain ouvrir tout grands les yeux. Puis une expression où se mêlaient curieusement la stupéfaction et la contrariété se peignit sur le visage de Nicole. Elle fixait l'autre bout de la piscine. Charles regardait dans la même direction. Lui aussi paraissait être très intéressé par ce qu'il apercevait.

— Qu'ont-ils donc vu? se demanda Michel.

Il atteignit le bord. D'un prompt rétablissement, il sortit de l'eau et se retourna. Un cri lui échappa.

Elle s'avançait, tenant à la main son peignoir de bain qu'elle lança sur un des bancs. Le faisceau lumineux du projecteur qui éclairait la piscine l'éclaboussait de lumière. Le bikini blanc dévoilait sa silhouette au modelé parfait. Ses cheveux libérés ondoyaient au rythme de ses pas et retombaient en vagues soyeuses sur ses épaules.

Le souffle suspendu, Michel la dévorait des yeux.

Elle! C'était elle. La belle inconnue. D'où venait-elle? Que faisait-elle là, tout à coup?

Il s'approcha.

En le voyant venir plus près, l'inconnue s'arrêta. Elle leva vers lui des yeux immenses, admirables, d'une teinte indéfinissable. Étaient-ils verts? Étaient-ils bleus?

Bien que la timidité envers les femmes ne fût pas son point faible, Michel restait muet de saisissement. Il tenta de reprendre ses esprits.

— Vous êtes là... Vous êtes venue..., balbutia-t-il.

— Mais bien sûr, puisque vous me l'avez demandé!

Cette voix! Michel n'en croyait pas ses oreilles. Il devait rêver. Il se passa la main sur le visage. Mais Nicole et Charles, qui s'étaient rapprochés, avaient entendu aussi.

Il y eut un long silence.

Ce fut Nicole qui, la première, reprit ses esprits.

— Eh bien, vous alors! remarqua-t-elle d'un ton acide. Vous pouvez vous vanter d'être une sacrée cachottière, mademoiselle Lemonnier!

3

POUR la première fois, Irène était invitée à dîner avec la famille Brétigny. La tournure prise par les événements ne laissait pas de la surprendre.

Après son apparition à la piscine sous son vrai visage, elle s'était attendue à subir les foudres de Mme de Brétigny. Son professeur l'avait assez prévenue avant de l'envoyer postuler un emploi chez cette mère ombrageuse : « Mme de Brétigny redoute tellement que son fils ne s'éprenne d'une secrétaire qu'elle refuse systématiquement toutes les jolies filles ou toutes celles qui possèdent un charme quelconque. Avec votre physique, vous n'avez pratiquement aucune chance d'être acceptée... »

Enlaidie et affublée comme elle l'était, Irène avait trouvé grâce aux yeux de Mme de Brétigny et avait été engagée sur-le-champ.

Le comportement de Mme de Brétigny était inexplicable. Non seulement elle n'avait pas congédié Irène sous le premier prétexte venu, mais elle n'avait pas même semblé s'apercevoir de la transformation de sa secrétaire, aussi spectaculaire que si elle eût été métamorphosée par un coup de baguette magique.

Il n'en était pas de même de Michel. Lui, qui, naguère, ignorait la jeune fille, trouvait maintenant vingt prétextes par jour pour venir à la bibliothèque. Souvent, Irène sentait son regard posé sur elle. Elle feignait de ne pas le remarquer, mais son cœur battait plus vite et elle tournait la tête pour masquer son émoi. « Il me faut être prudente, se répétait-elle. Certes, Michel de Brétigny est séduisant, je lui plais sans doute, pourtant trop de choses nous séparent. »

Elle prenait alors une expression qu'elle voulait rendre sévère et se plongeait dans son travail.

Maintenant que les artifices étaient devenus inutiles, Irène pouvait à nouveau se contempler dans un miroir. Elle acheva de se coiffer. Ses cheveux, rassemblés en une lourde tresse, dégageaient l'ovale du visage et découvraient la minceur du cou et les oreilles finement ourlées.

Elle revêtit une robe de satin de coton, à fond grège imprimé de fleurs bleues. Sa seule parure était une fine chaînette d'or.

Les Brétigny dînaient assez tard, il n'était pas encore l'heure de descendre. La jeune fille prit sur sa commode la lettre reçue le matin même de sa fidèle Olympe, la servante au grand cœur de la famille Lemonnier. Elle relut la missive, écrite d'une grosse écriture maladroite et émaillée de fautes d'orthographe. Irène ne les voyait pas. Seules la touchaient la bonté et la tendresse de la vieille femme. Pendant trente ans, Olympe avait participé à la vie de la famille et vu naître la jeune fille.

Élevée par un oncle célibataire, trop occupé par ses affaires, Irène n'avait jamais connu ses parents, tôt disparus. Tout au long de son enfance, c'était vers Olympe qu'elle se réfugiait pour lui faire partager ses joies et ses peines. Et ce, malgré les remontrances de sa gouvernante qui estimait que la place d'une demoiselle de bonne famille n'était pas à l'office avec une domestique. Mais la fillette trouvait auprès d'Olympe l'affection maternelle dont elle était tant privée. La gouvernante, bardée de diplômes, ne pouvait concevoir ce besoin que l'humble servante devinait avec l'intuition que donne l'intelligence du cœur.

Irène reposa la lettre. Sa pensée vagabondait et elle revoyait les événements qui l'avaient conduite à Yvonville, dans le rôle de la secrétaire de Mme de Brétigny.

Après le bac, elle avait commencé des études de Lettres. Ses parents ruinés ne lui avaient laissé aucune fortune et son oncle subvenait à tous ses besoins. Aussi était-elle décidée à se faire une situation au plus vite. Sa vie ressemblait à celle des étudiantes de son âge jusqu'à ce fameux soir du mois de février où, soudain, tout changea.

Irène s'en souvenait fort bien. Tout avait commencé pendant le dîner. Elle avait parlé avec son oncle de choses sans importance, mais elle le sentait nerveux et préoccupé.

Après le dîner, il lui avait demandé de l'accompagner dans son bureau. C'était inhabituel. Irène n'y mettait jamais les pieds. Cette pièce austère contrastait avec le reste de l'appartement. Emplie de classeurs et de dossiers, elle était le fief réservé de l'industriel.

Visiblement, M. Lemonnier avait quelque chose à dire et ne savait comment le dire. Il fit asseoir sa nièce, déplaça quelques dossiers, tailla un crayon, toussota pour s'éclaircir la voix.

Intriguée, Irène attendait.

Enfin, son oncle prit place dans un fauteuil en face d'elle.

— Je n'ai pas pour habitude, commença-t-il, de t'entretenir de mes soucis, mais il est évident que nous vivons des temps difficiles.

Stupéfaite de ce préambule inattendu, Irène demanda :

— Que veux-tu dire, mon oncle?

L'industriel avait éludé cette question directe.

— Je dois t'avouer que c'est surtout pour toi que je m'inquiète.

— Pour moi?

— Oui, pour toi. Et pour ton avenir.

— Que se passe-t-il?

L'air soucieux, M. Lemonnier regardait sa nièce.

— Je ne suis plus jeune et ma situation n'est plus ce qu'elle était. Tu sais aussi que tu n'es pas ma seule héritière. Qu'arriverait-il si tu te retrouvais seule du jour au lendemain?

— Je ferais comme tout le monde, je travaillerais.

— Oui, mais à quoi? Tu commences seulement des études de Lettres.

— Pourquoi me parles-tu ainsi? questionna la jeune fille, alarmée. Tu m'effraies. As-tu des ennuis de santé?

— Non, ma santé est excellente.

L'impatience gagnait Irène.

— Tu me caches quelque chose, s'écria-t-elle.

Et comme M. Lemonnier ne répondait pas tout de suite, elle continua :

— Écoute, mon oncle, je suis bien assez grande, à dix-neuf ans, pour qu'on me parle sans prendre tant de précautions oratoires. Franchement, de quoi s'agit-il?

M. Lemonnier alluma une cigarette, en tira une bouffée et s'absorba dans la contemplation des volutes de fumée qui montaient lentement vers le plafond. Irène attendait qu'il se décidât à parler.

— Mon enfant, le tuteur d'une jeune fille est toujours ému quand on vient, pour la première fois, lui parler mariage. C'est ce qui m'est arrivé aujourd'hui.

La jeune fille sourit.

— C'est une blague! s'exclama-t-elle.

Elle connaissait beaucoup de jeunes gens, à commencer par ceux qui faisaient partie de sa petite bande de la

Faculté. Certains lui faisaient la cour mais elle ne les prenait pas au sérieux et, secrètement, elle les comparait à de jeunes poulains échappés, avides de s'ébrouer à grand tapage. Ce n'était pas ainsi qu'elle se représentait l'homme qui aurait pour elle le visage de l'amour.

A vrai dire, elle imaginait mal un de ces jeunes gens se présentant, en blue-jean et baskets, chez M. Lemonnier pour lui demander la main de sa nièce. La seule évocation de cette scène la fit rire.

— J'ignorais que la demande en mariage en bonne et due forme se pratiquait encore!

M. Lemonnier ne riait pas.

— C'est tout à fait sérieux et, si je t'en parle, c'est bien parce que je juge ce comportement ni risible ni ridicule.

— Tu m'intrigues. Qui est-ce?

Son oncle n'avait pas répondu tout de suite.

— Ce n'est pas un de nos intimes, finit-il par avouer, mais tu le connais. C'est Louis Villeneuve.

— Mais il est vieux!

— Vieux! Peut-on dire! Il est dans ce qu'on appelle la force de l'âge.

— Je trouve étrange la démarche de ce monsieur. S'il avait l'intention de me demander en mariage, il aurait pu venir m'en parler d'abord. Nous ne sommes plus au XIXe siècle, que je sache.

— Il est tout à fait compréhensible que ce monsieur, comme tu dis, ait souhaité avoir quelques renseignements au préalable. Il m'a pressenti : je ne vois rien d'incongru dans cette démarche. Il faut bien te rendre compte que Louis Villeneuve est un homme posé, un brasseur d'affaires Il ne peut pas se lancer à la tête d'une jeune fille à l'aveuglette, comme le ferait un de tes copains.

— Mais, encore une fois, pourquoi s'est-il adressé à toi?

— Il voulait savoir si tu étais fiancée ou sur le point de l'être.

— Et qu'as-tu répondu?

— Que, dans la mesure où l'on connaît de nos jours le cœur d'une jeune fille, le tien me semblait être libre. Mais toi seule peux répondre à cette question.

— Il est absolument hors de propos que j'envisage d'épouser quelqu'un que je ne connais pas. Lui non plus ne me connaît pas. Au cours d'un dîner chez nos amis Leblond, il était mon voisin de table, nous avons bavardé ensemble. Ensuite, il a dû me revoir deux ou trois fois, c'est tout.

— Cela lui a suffi.

— Il s'enflamme bien vite.

M. Lemonnier ne répondit pas.

— Tu aurais dû répondre non tout de suite à M. Villeneuve, trancha Irène.

Après un temps, elle ajouta :

— Je ne savais pas qu'il était en relation d'affaires avec toi.

M. Lemonnier marqua une hésitation.

— Il est un de mes plus gros clients, jeta-t-il enfin.

En entendant ces mots, Irène ne put réprimer un haut-le-corps. Ses joues étaient en feu, ses lèvres tremblaient. L'idée qu'elle pouvait être l'enjeu d'un marchandage ou de tractations, ou qu'un intérêt plus ou moins avoué incitait son oncle à la pousser à accepter cette demande faisait cabrer sa fierté.

— C'est un tort de mélanger les affaires et l'amour, dit-elle, véhémente. Si amour il y a. Avec sa fortune, M. Villeneuve n'a que l'embarras du choix. Quant à moi, je suis bien décidée à ne me marier que le jour où j'aurai rencontré celui dont je serai éprise. Et je ne le suis pas de lui.

— Que tu es soupe au lait! s'exclama M. Lemonnier. Tu t'échauffes, tu vas, tu vas...

— De plus, je ne veux pas épouser un homme qui pourrait largement être mon père. Même par intérêt.

D'un geste, son oncle l'arrêta.

— Écoute, ma petite Irène, prends le temps de bien réfléchir avant de donner une réponse définitive. Louis Villeneuve n'est plus un gamin, il ne reviendra pas dix fois à la charge pour te supplier. C'est une chance sérieuse, inespérée qui s'offre à toi...

Une exclamation de surprise et de consternation jaillit des lèvres d'Irène :

— Voudrais-tu me faire épouser un homme que je n'aime pas?

Renversé dans son fauteuil, M. Lemonnier semblait au comble de l'irritation. Il fit un effort visible pour se maîtriser. Quand il parla, sa voix était calme :

— Jamais je ne chercherai à t'influencer, tu le sais bien. Mais ton avenir est pour moi un sujet de préoccupation constante. Tu es si jeune, tu n'es pas armée pour la vie. Et moi, je suis si fatigué.

Il se leva pesamment.

— Si tu le veux bien, nous en resterons là pour ce soir. Ma journée a été très dure et j'ai des rendez-vous tôt demain matin.

Après avoir dit bonsoir à son oncle, Irène s'était retirée, inquiète et troublée. Pourquoi lui avait-il parlé ainsi? Que signfiait cette allusion subite à ses soucis? Avait-il fait de si mauvaises affaires?

Elle savait le drame que représenterait pour son oncle une déconfiture, lui si fier de diriger l'entreprise Lemonnier, Presses et Pompes hydrauliques, maison fondée, précisait-il toujours, en 1839, par l'ancêtre Désiré-Antoine-Marie Lemonnier, et propriété de la famille depuis lors.

Irène aimait beaucoup son oncle et elle regrettait de le décevoir. Il considérait Louis Villeneuve comme un parti inespéré pour elle, mais elle se révoltait à l'idée d'être contrainte à cette union. Elle ne céderait pas, quoi qu'il arrivât. Pourtant, elle connaissait suffisamment M. Lemonnier pour savoir que, lorsqu'il avait un projet en tête, il ne l'abandonnait pas facilement.

Irène soupira.

Elle ne se remémorait jamais sans tristesse les événements qui avaient suivi cette conversation. A peine une semaine plus tard, M. Villeneuve annonçait sa visite. M. Lemonnier avait exigé que la jeune fille fût là pour le recevoir.

Elle se revoyait dans le salon de l'appartement de son oncle, regardant au-dehors, le front appuyé contre la vitre. C'était un jour brumeux de l'hiver parisien, au ciel gris et bas. Dans le square désert en ce début d'après-midi le Guignol était fermé. Solitaire, un ânier déambulait, remorquant un couple d'ânons rétifs au bout d'une longe, dans l'attente d'une incertaine clientèle enfantine.

Il y avait eu l'arrivée de M. Villeneuve. Ensuite, tout était allé très vite. Irène avait eu l'impression de voir se dérouler un film projeté à une cadence accélérée, où les images se précipitaient, se chevauchaient, s'entrechoquaient.

Louis Villeneuve avait fait une demande très en règle, demande déclinée courtoisement, mais fermement, par la jeune fille. Le prétendant était reparti visiblement dépité et mécontent.

Emporté par la colère, M. Lemonnier avait eu des mots dépassant sa pensée. Peinée et humiliée, Irène rétorquait qu'elle se sentait assez responsable de ses actes pour se débrouiller toute seule. Elle s'était ensuite enfermée dans sa chambre pour faire ses valises, sans que M. Lemonnier fît un geste pour la retenir.

La jeune fille s'était retrouvée sous le porche glacial de

l'immeuble, attendant un taxi, ses deux valises posées à côté d'elle. Bravant le courroux de M. Lemonnier, Olympe était venue la rejoindre pour lui dire au revoir. La vieille servante pleurait à chaudes larmes, l'émotion empêchait Irène de prononcer une parole. Au moment où elle montait dans le taxi, Olympe lui glissa quelques billets.

Comme la jeune fille ne voulait pas les accepter :

— Prends-les, si, prends-les, avait-elle insisté. Juste pour avoir de quoi te retourner. Tu me les rendras quand tu le pourras. Promets-moi de me donner de tes nouvelles et de faire appel à moi en cas de besoin. Ne m'oublie pas surtout! N'oublie pas ton Olympe!

— C'est promis. Je te donnerai régulièrement de mes nouvelles. Et je te rendrai tout jusqu'au dernier centime.

Les deux femmes s'étaient embrassées affectueusement avant de se séparer.

Par la vitre arrière du taxi, Irène fit des signes d'adieu jusqu'au moment où disparut de sa vue la maison de son enfance. Olympe se tenait au bord du trottoir, s'essuyant les yeux avec son grand mouchoir à carreaux.

Grâce à une amie, la jeune fille était parvenue à se procurer une petite chambre au sixième, sous les toits. Elle avait abandonné la Faculté pour suivre des cours accélérés de secrétariat et commencé sa carrière dans une agence d'intérim, faisant connaissance avec le pool des dactylos — quarante machines à écrire dans la même salle —, les remplacements, où on lui octroyait les tâches les plus ingrates, les surveillantes trop revêches et les chefs de service trop aimables. Cette période n'avait duré que quelques mois, mais des mois longs comme des siècles.

Enfin, un jour, son ancien professeur de sténo l'avait informée qu'une certaine Mme de Brétigny cherchait une secrétaire à demeure pouvant s'absenter de Paris. En plein été, l'air de la capitale était irrespirable. Irène devait accomplir quotidiennement de longs trajets en métro, elle était lasse de jouer les bouche-trous dans son agence d'intérim. Cette proposition arrivait à point, elle décida de l'accepter.

Irène consulta sa montre. L'heure de descendre approchait. Un dernier coup d'œil à sa glace lui confirma une image flatteuse. La mélancolie qu'elle venait de ressentir à l'évocation de ces pénibles souvenirs donnait à son visage une expression rêveuse et faisait paraître ses yeux encore plus grands et plus profonds.

Prestement, la jeune fille descendit l'escalier et alla rejoindre les convives dans le petit salon.

Quand elle entra, elle fut saisie de voir Michel brusquement surgir dans l'embrasure d'une des portes-fenêtres donnant sur le parc. Il semblait l'attendre et s'avança vers elle avec empressement. Un sourire relevait les coins de sa bouche sensuelle.

— Vous avez une robe ravissante, remarqua-t-il de sa voix aux notes graves.

Instinctivement, Irène jeta un coup d'œil en direction de Mme de Brétigny. Assise dans une bergère, elle lisait un journal du soir, semblant se désintéresser de ce qui se passait autour d'elle.

Gabrielle de Rosay arriva à son tour et tout le monde passa dans la salle à manger. Irène était placée à gauche de la maîtresse de maison et en face de Michel. A peine eut-on servi les hors-d'œuvre que Mme de Brétigny se tourna vers elle :

— Vous ne m'avez jamais parlé de votre famille. Rappelez-moi donc quelle est la profession de votre oncle? demanda-t-elle d'un ton aimable.

Étonnée de cet intérêt inattendu, Irène resta quelques instants silencieuse. Quand elle releva la tête pour répondre, elle rencontra les yeux de Michel.

Pendant tout le temps qu'elle parla, elle sentit son regard posé sur elle, un regard qu'elle n'osait affronter de peur d'y lire le sentiment qu'elle espérait et redoutait à la fois d'y découvrir.

4

LE jardin du restaurant descendait en pente douce jusqu'à la rivière. Irène et Michel suivaient, d'un œil paresseux, le lent passage d'une barque que des canoteurs laissaient dériver au fil de l'eau. La jeune fille poussa un soupir d'aise. Rien ne venait troubler l'agrément de cette admirable journée d'arrière-saison.

En l'absence de Mme de Brétigny, rentrée à Paris pour un court séjour, Irène bénéficiait de quelque loisir. Aussi avait-elle accepté l'invitation de Michel à faire une excursion. Après la visite des vestiges d'une abbaye du XIVᵉ siècle, ils s'étaient arrêtés pour déjeuner sous une tonnelle, dans cette hostellerie réputée, au charme bucolique.

Brusquement, Michel se tourna vers Irène.

— Si nous faisions quelques pas? proposa-t-il. Les alentours doivent être plaisants et nous avons le temps.

— Volontiers, accepta-t-elle, en se levant.

Sous l'embrasement du soleil, l'eau miroitait et semblait, par endroits, recouverte de plaques incandescentes. Marchant du même pas, ils suivirent le sentier qui serpentait le long de la rive. Il y avait dans l'air comme une légère griserie. Irène se sentait bien, elle aurait souhaité que cette promenade n'eût pas de fin.

Les deux jeunes gens atteignirent une sorte de grotte

végétale formée par la verdure et y pénétrèrent. Pour admirer les longues branches d'un saule pleureur qui retombaient mollement, Irène rejeta la tête en arrière. Au-dessus d'elle, s'arrondissait la voûte d'épais feuillage au travers de laquelle le soleil ne parvenait pas à se glisser.

— Il fait bon être au frais sous cet arbre, murmura-t-elle.

Michel s'approcha tout près d'elle. Ils étaient seuls l'un devant l'autre dans l'ombre verdoyante.

Avec lenteur, il se pencha vers elle et posa ses lèvres sur les siennes. Envahie par l'émotion qui s'emparait d'elle, elle se sentit faiblir.

« Il ne faut pas, songea-t-elle, affolée, je dois résister. Je ne veux pas être une conquête de plus, une passade sans lendemain. Je ne veux pas prendre la suite de Nicole et de toutes les autres... »

Vivement, elle se recula.

— Non, gémit-elle, non! Laissez-moi!

Michel la prit doucement aux épaules.

— Pourquoi? demanda-t-il très bas. Pourquoi? Je ne vous plais pas?

Elle voyait tout contre son visage les yeux brûlants qui l'interrogeaient avec ardeur.

A nouveau, elle s'écarta et secoua la tête comme pour en chasser des pensées importunes.

— Je vais sans toute vous paraître bien vieux jeu, fit-elle, mais pour moi l'amour n'est pas une distraction. A tort ou à raison, je considère que c'est la chose la plus importante de la vie.

Un long moment, Michel la regarda sans répondre.

— Vous n'avez pas tort, dit-il enfin. C'est la chose la plus importante de la vie.

Il caressa les cheveux de la jeune fille et remit en ordre les boucles déplacées.

— Venez, fit-il, nous allons rentrer.

40

Docile, elle le suivit.

Sur le chemin du retour, il conduisit vite, sans parler, sans quitter la route des yeux.

Lorsqu'ils furent arrivés à la gentilhommière, Michel prit congé d'Irène. Un instant, il tint sa main dans la sienne.

— Vous ne gardez pas un mauvais souvenir de cette journée, j'espère? Oubliez ce qui a pu vous déplaire. Après tout, ajouta-t-il en souriant, c'est votre faute : pourquoi êtes-vous si belle? Vous ne savez pas à quel point vous êtes belle! Je ne me lasserais pas de vous admirer.

Le regard que lui jetait Michel confirmait éloquemment ses paroles. A son grand embarras, Irène se sentit rougir. Jamais les nombreux compliments sur sa beauté, maintes fois entendus, ne l'avaient troublée à ce point.

« Qu'est-ce qui m'arrive? J'espère que je ne suis pas en train de tomber amoureuse de lui, se demanda-t-elle, alarmée. Il doit être aussi aimable avec toutes les jolies femmes. »

Elle essaya de dégager sa main de celle de Michel. Il la retint dans ses longs doigts minces et nerveux.

— Je crois deviner à quoi vous pensez, fit-il, mais je puis vous assurer que ces compliments sont sincères. Et il m'importe beaucoup que vous me croyiez.

— Si vous ne lâchez pas ma main, remarqua-t-elle, jamais je ne pourrai poster le courrier urgent. N'oubliez pas qu'aujourd'hui j'ai fait l'école buissonnière.

A regret, il la laissa aller.

Elle avait à peine fait quelques pas qu'il l'interpella :

— Êtes-vous d'accord pour une autre balade? Il faut profiter des derniers beaux jours. Que diriez-vous d'aller visiter le musée de Bayeux? On y voit la célèbre tapisserie de la reine Mathilde. Nous pourrions partir le matin et déjeuner en route. D'ici, la promenade est superbe.

Irène s'arrêta, clouée sur place. Elle sentait son cœur

battre la chamade. Avant de répondre, elle dut prendre une grande inspiration :

— Non. Mieux vaut y renoncer.

— Je vous promets que rien dans mon attitude ne pourra vous choquer. Nous partirons comme deux bons camarades.

Elle se retourna et le fixa bien en face.

— Je viendrai à la condition que vous invitiez également Mlle de Rosay. Elle doit s'ennuyer énormément en l'absence de votre mère. Et je suis sûre qu'elle serait ravie de faire cette belle promenade.

Michel ne répondit pas tout de suite.

— Si vous le souhaitez ainsi, je suis d'accord, acquiesça-t-il enfin. Nous emmènerons ma tante dans nos prochaines promenades.

Il avait parlé lentement, d'un ton grave.

Irène ouvrit la bouche pour dire quelque chose, mais elle se ravisa.

— Bonsoir, jeta-t-elle en se détournant.

Elle gagna rapidement la gentilhommière et grimpa l'escalier quatre à quatre. Parvenue dans sa chambre, elle referma la porte derrière elle et se jeta à plat ventre sur son lit. Un long temps, elle resta ainsi à réfléchir, la tête enfouie dans les coussins. Quand elle se releva, elle était plus calme. Elle remit de l'ordre dans sa toilette et dans sa coiffure et, d'un pas ferme, gagna la bibliothèque.

Elle effectua l'envoi du courrier urgent et, sitôt après, commença à rédiger sa lettre de démission. Son contrat stipulait qu'elle devait prévenir un mois avant la date de son départ. Dès le lendemain, elle ferait parvenir sa lettre à Mme de Brétigny à son adresse de Paris.

Quand elle sortit de la bibliothèque, la jeune fille apprit par Georgette que Michel venait de partir précipitamment, pour regagner la capitale. Très intriguée, la femme de chambre supputait tout haut les raisons de ce départ inopiné. Elle fut déçue de s'apercevoir qu'Irène n'avait pas été prévenue, elle non plus, de ce départ et ne pouvait satisfaire sa curiosité.

La jeune fille passa une très mauvaise nuit. Elle se tourna et se retourna dans son lit sans parvenir à trouver le sommeil. Dès qu'elle fermait les yeux, l'image de Michel venait la hanter.

« Il faut que je m'éloigne au plus tôt, se répétait-elle. C'est bien que Michel ait regagné Paris. Il serait encore mieux que je ne le revoie plus jusqu'à mon départ. »

Les premières lueurs du soleil levant commençaient à blanchir l'horizon quand elle s'assoupit enfin. Elle ne dormit que quelques heures mais, au réveil, elle avait complètement repris possession d'elle-même. Seule, une légère pâleur trahissait son tourment intérieur.

Le calme du soir tombait sur la campagne et sur le parc, paré des teintes d'automne. Les roses et les dahlias exhalaient leur dernière splendeur, auréolés du charme émouvant des choses qui vont finir.

Assise sur la mousse, Irène jouait avec Pirouli, rescapé de la dernière portée de Loulotte, la chatte prolifique des gardiens. Heureux de se sentir cajolé, le chaton s'essayait à exprimer son contentement par un ronronnement encore malhabile. Il tendait sa tête minuscule vers la jeune fille et la fixait de ses yeux mordorés, tandis qu'elle caressait son pelage beige.

Le sable de l'allée crissa sous un pas décidé. En relevant les yeux, Irène aperçut Michel qui arrivait. Depuis plus d'une semaine qu'il était parti pour Paris il n'avait pas donné signe de vie. Étonnée, la jeune fille se leva, abandonnant le petit chat qui poussa un miaulement plaintif.

— Bonsoir, dit le jeune homme, qui s'avança jusqu'à elle.

— Bonsoir.

Elle raffermit sa voix un peu étranglée.

— Avez-vous fait un bon séjour à Paris?

— Très bon, merci.

Il y eut un silence embarrassé.

— Je vous ai cherchée, reprit Michel, je ne savais où vous trouver.

— J'aime venir le soir dans ce coin tranquille du parc pour m'y reposer.

— Il faut rentrer maintenant. Vous avez juste le temps, je ne dirai pas de vous faire belle, mais de vous changer.

— Que se passe-t-il?

— Vous êtes invitée à dîner.

— Par qui?

— Par moi.

— Avez-vous d'autres invités?

— Nous serons en famille. Juste ma mère, ma tante, vous et moi.

— Mme de Brétigny est de retour?

— Elle est là.

— Il faut que j'aille me préparer.

— Un instant encore.

Il sortit de la poche de son blazer un tout petit paquet qu'il tendit à Irène :

— Tenez, c'est pour vous.

Surprise, elle le regarda, l'air interrogateur.

— Prenez, insista-t-il.

La jeune fille défit l'emballage et découvrit un écrin qu'elle ouvrit. Sur le satin blanc qui le tapissait, l'émeraude qui ornait la bague scintillait de tous ses feux. La pierre précieuse était montée sur un jonc de platine et entourée de brillants.

Les yeux d'Irène allaient alternativement de la bague à Michel.

— C'est pour vous, assura celui-ci calmement.

— Pour moi? Mais qu'est-ce?

— Comme vous le voyez, c'est une bague.

D'un geste ferme, Irène lui rendit l'écrin.

— Je ne puis l'accepter.

— Vous ne la trouvez pas assez belle?

— C'est un bijou splendide.

— Alors, acceptez-le. Je vous l'offre.

La jeune fille le regarda droit dans les yeux.

— Pourquoi me l'offririez-vous?

— Mais parce que nous fêtons nos fiançailles ce soir.

— Que dites-vous?

Irène avait presque crié ces mots. Elle était sûre d'avoir mal entendu.

Patiemment, Michel répéta ses paroles :

— J'ai décidé que nous fêterions nos fiançailles ce soir. Je vous offre donc cette bague puisque cela se fait. Vous n'êtes peut-être pas d'accord avec mon projet?

Il se tenait tout près de la jeune fille. Il sortit la bague de son écrin et lentement la lui glissa à l'annulaire de la main gauche.

— Vous plaît-elle?

Suffoquée de bonheur, Irène leva vers lui un regard éperdu.

— Si elle me plaît! Dites-moi que tout cela est vrai! balbutia-t-elle.

— Chérie!

La voix de Michel avait des inflexions caressantes.

— La seule chose que j'aie à vous dire est que je vous aime. Et vous?

— Oh, moi! Je...

Elle ne put achever sa phrase. Les lèvres de Michel

s'étaient emparées des siennes, elle frissonna sous le baiser ardent. Plus rien n'existait au monde en dehors des lèvres de Michel, de son souffle, de sa chaleur, de son étreinte. Elle se serra contre lui et eut comme un vertige de bonheur.

Longtemps, ils demeurèrent ainsi enlacés. La nuit envahissait peu à peu le parc. Quand ils se séparèrent, Irène regarda Michel avec des yeux éblouis. Il passa le bras autour de son épaule et ils se mirent en marche vers la gentilhommière.

— Et votre mère? demanda soudain la jeune fille. Qu'en pense-t-elle?

Il s'arrêta sur place.

— Ma chérie, c'est moi et moi seul qui décide de ma vie. J'ai mis ma mère au courant de ma décision, elle l'a fort bien acceptée.

Il se pencha vers elle et reprit ses lèvres. Une nouvelle fois, ils s'embrassèrent amoureusement dans la pénombre complice qui les enveloppait.

5

Lᴀ voix de la femme de chambre se fit entendre à la
cantonade :

— Vous direz à Mathieu de venir prendre les bagages
de la jeune Madame de Brétigny et de les mettre dans le
coffre de la voiture.

Ces instructions données par Georgette firent sourire
Irène. Depuis quelques heures, c'était elle la jeune
Madame de Brétigny. Depuis que, tout d'abord devant le
maire revêtu pour la circonstance de son beau costume des
dimanches, puis devant le vieux curé de campagne, elle
avait accepté, en ce clair matin d'hiver, de prendre pour
époux Michel de Brétigny.

Yvonville était en fête et la gentilhommière retentissait
du bruit des conversations et des rires des invités.

Journée harassante et réussie. Les héros de la fête
avaient passé l'après-midi à serrer des mains et à remercier
pour les nombreux cadeaux reçus, qui étaient exposés dans
le grand salon.

Après avoir quitté la réception, la nouvelle épousée était
remontée se changer pour partir en voyage de noces. Elle se
préparait dans la chambre encore encombrée de cartons et
de boîtes, d'où s'échappaient des nuages de papier de
soie.

Un coup discret frappé à la porte fit se retourner Irène.

— Qui est là? demanda-t-elle.

— C'est moi, Olympe.

— Entre.

Une vieille femme au visage buriné, éclairé par un sourire chaleureux, parut sur le seuil.

— Je ne te dérange pas, j'espère?

— Pas du tout. Tu as bien fait de venir. Cela me fait plaisir de t'embrasser avant mon départ.

— Surtout que vous allez rester longtemps à la Martinique. Plusieurs mois je crois?

— Oui. Michel doit s'occuper des plantations de canne à sucre que sa grand-tante, la comtesse de Brétigny, possédait là-bas. Nous résiderons à Bellefontaine, c'est le nom du domaine. Nous en profiterons également pour faire du tourisme. Je ne connais pas les Antilles, il paraît que c'est si beau!

— Pour sûr que ça doit être beau, surtout pour des jeunes mariés.

— J'ai été heureuse que tu sois là aujourd'hui, Olympe. Tu représentais ma famille en quelque sorte, puisque mon oncle est malheureusement immobilisé par un infarctus.

— Il va beaucoup mieux, ne te tracasse pas.

— Je regrette qu'il n'ait pas été présent. Il doit aussi le déplorer, lui qui souhaitait tant me voir mariée. Cette union comble ses vœux au-delà de ses espérances. Dès mon arrivée, je lui écrirai.

— A moi aussi, il faudra écrire.

— Je t'écrirai souvent et je t'enverrai des photos.

— Cela me ferait tant plaisir si je pouvais avoir celles qui ont été faites aujourd'hui. Tu étais si belle dans ta longue robe blanche, tu ressemblais aux princesses qu'on voit photographiées dans les magazines. Quand j'y pense! déjà mariée! Je te revois quand je t'ai baignée pour la première fois, tu avais huit jours!

Tout attendrie, Olympe sortit un mouchoir de son sac et s'essuya les yeux.

Irène connaissait l'attachement que la vieille femme avait pour elle, aussi voulut-elle satisfaire son désir.

— Les photos doivent se trouver dans le bureau de Michel avec le Polaroïd. Je vais les chercher, promit-elle.

Avec précaution, pour ne pas attirer l'attention des invités, elle descendit l'escalier. Elle gagna la galerie et allait atteindre le bureau quand un bruit de conversation l'arrêta. Pour ne pas être vue, elle se dissimula derrière une tenture. Un homme parlait à mi-voix. C'était Mᵉ Bréviaire, le notaire de la famille Brétigny.

— Encore une fois toutes mes félicitations, disait-il. La cérémonie a été très réussie.

Irène ne voyait rien, mais elle devina que c'était Michel qui accompagnait le notaire.

— Vous avez une rude chance, reprit celui-ci. Non seulement votre mariage fait de vous l'époux d'une femme ravissante mais il vous apporte une fortune. Vous êtes ce qu'on appelle un heureux mortel!

« Que veut-il dire? s'étonna Irène. Il sait pourtant bien que je n'ai aucune dot. »

Michel répondit quelques mots trop bas pour être perçus de la jeune fille. Derrière sa tenture, elle étouffait et avait hâte que les deux hommes lui laissent le champ libre.

Quand elle fut sûre qu'ils s'étaient éloignés, elle sortit de sa cachette et gagna le bureau. Mais elle eut beau chercher, elle ne trouva pas les photos. Désireuse de faire plaisir à Olympe, elle s'obstina à essayer de les découvrir.

Quelques papiers déposés sur une console attirèrent son attention. Irène les feuilleta rapidement : il s'agissait de documents en provenance de l'étude de Mᵉ Bréviaire, comme l'indiquait la mention portée sur une épaisse chemise cartonnée. En les remettant en place, la jeune fille remarqua une feuille tombée derrière un fauteuil. C'était la photocopie d'un texte manuscrit. Elle la ramassa et allait la reposer sur la console quand une phrase lui sauta involontairement aux yeux :

« ... toute ma fortune à mon petit-neveu Michel de Brétigny à la condition que son mariage... »

Sans aucun doute, il s'agissait du testament de la comtesse. Tout d'abord, Irène se sentit confuse d'avoir, bien malgré elle, commis une indiscrétion en jetant le regard sur cette pièce. Pourtant, une pensée s'insinuait lentement dans son esprit :

« Quel rapport y a-t-il entre ce testament et la remarque de Mᵉ Bréviaire? »

Comme tout le monde, elle savait que Michel était l'unique héritier de la comtesse, mais elle ignorait quelle mystérieuse condition celle-ci avait mise à l'octroi de sa fortune. C'était bien sûr une interrogation si indiscrète qu'elle en devenait impossible à formuler; Michel n'aurait-il pas dû en parler de lui-même à sa fiancée?

Irène ne s'était jamais trouvée dans une situation aussi délicate.

Elle aurait souhaité oublier ce testament. Était-ce possible maintenant qu'elle avait soulevé, à son insu, une partie du voile qui recouvrait une chose qu'on lui cachait? Cette question qu'elle se posait déjà, cesserait-elle de se la poser un seul jour de sa vie?

Partagée entre la crainte de commettre une vilenie et celle de laisser le doute la gagner, elle hésita un grand moment. Tout à coup, elle se décida. Elle allait lire le testament et après elle se confesserait à Michel. Elle ne voulait rien lui taire, il ne fallait pas qu'il y ait entre eux ne fût-ce que l'ombre d'un malentendu. Quand on s'aime, on ne se cache rien, on n'a pas de secret l'un pour l'autre. Et tous deux riraient ensemble de ses appréhensions injustifiées.

D'une traite, elle lut :

« *Je soussignée, Antoinette-Marie-Delphine, comtesse de Brétigny, née de Catelan, exprime ici mes dernières volontés.*

« *Je lègue toute ma fortune à mon petit-neveu Michel de Brétigny à la condition que son mariage ait été célébré avant la date de son vingt-huitième anniversaire.*

« *Si ce mariage avait lieu après mon décès et que je n'aie pas été en mesure de l'approuver, je stipule que l'élue doit être une jeune fille de vingt et un ans au plus — à l'exclusion de toute femme divorcée ou veuve —, qu'elle doit être de bonne famille, de bonne moralité, saine de corps et d'esprit et de physique agréable. J'ajoute qu'elle ne doit avoir été l'objet d'aucun scandale ni même de commentaires quelconques dans la presse ou dans le monde.*

« *Dans le cas où ces clauses ne seraient pas respectées, et dans celui où mon neveu divorcerait sans avoir eu d'enfant, toute ma fortune sera distribuée — par les soins de mon notaire — aux fondations et œuvres de bienfaisance dont la liste suit.*

« *L'inventaire complet de ma fortune — biens meubles et immeubles, y compris mes plantations de canne à sucre à la Martinique — a été établi par mon notaire, Me Bréviaire, et est annexé au présent testament.* »

Deux fois, Irène dut relire le texte, tant les lettres dansaient devant ses yeux. Elle restait sans faire un mouvement, pétrifiée dans sa détresse, regardant avec horreur le papier qu'elle tenait à la main. Elle ne comprenait que trop bien, désormais, le sens de la réflexion du notaire. Elle comprenait tout.

« C'est pour satisfaire aux exigences des dernières volontés de la comtesse que Michel m'a épousée, se répétait-elle. Ce n'était pas l'amour qui le poussait à précipiter le mariage. Il n'avait qu'un délai très court pour se marier avant la date fatidique. »

Irène croyait l'entendre encore faire des projets :

— Nous donnerons une grande réception pour fêter ton arrivée à la plantation, avait-il dit. Et nous choisirons la date du 20 décembre, jour de mes vingt-huit ans.

Le 20 décembre! Dans quinze jours! Comme il avait tout habilement combiné!

La jeune fille eut l'impression que le sol se dérobait sous ses pas, le sang battait à ses tempes. D'un geste brusque, elle rejeta le testament et sortit de la pièce. En courant, elle regagna sa chambre, où elle entra en trombe. Elle sanglotait sans pouvoir verser une larme.

Effarée de la voir dans cet état d'agitation, Olympe tenta de l'apaiser :

— Que se passe-t-il? Voyons, qu'est-ce que tu as?

— Olympe, emmène-moi, emmène-moi loin!

— Dis-moi ce qui t'arrive.

— C'est horrible...

— Assieds-toi, dit la vieille femme. Calme-toi et raconte-moi tout!

D'instinct, elle retrouvait les gestes consolants de jadis.

Irène s'assit sur le canapé à côté d'elle et se blottit contre son épaule.

— Je suis si malheureuse, souffla-t-elle, en un gémissement désespéré. Si tu savais la vérité...

— Il ne faut pas te mettre dans des états pareils, mon petit chat. Pour sûr, il est pénible de souffrir une désillusion aussi cruelle, mais il ne faut pas agir sous le coup de l'émotion, on le regrette toujours.

Olympe cherchait les paroles propres à verser un baume sur la blessure subie par la jeune fille.

— Ma décision est prise, affirma celle-ci. Je vais rentrer seule à Paris. Je ne veux plus voir Michel.

— Sais-tu ce que cela représente de ne plus voir celui qu'on aime?

Olympe avait dit ces mots avec un tel accent qu'Irène releva la tête et la regarda, surprise.

— Je n'ai pas toujours eu mon âge, tu sais. Moi aussi, dans le temps, j'ai aimé un homme. Oh, c'est bien loin! J'ai su alors ce qu'est la séparation, la certitude que tout espoir est perdu de revoir celui à qui on pense à chaque minute du jour. Si tu t'enfuyais, tu couperais tous les ponts.

— Que m'importe!

— Sait-on dans la vie?

— Mais il ne m'a jamais aimée! protesta Irène. Tout n'était qu'intérêt, mensonge, fourberie. Comment veux-tu que je reste?

— Que gagneras-tu à un scandale qui rejaillira surtout sur toi? Et aussi sur ton oncle. Quel choc pour lui ce serait d'apprendre la rupture de ton mariage, penses-y! Il est âgé et avec son cœur malade les émotions peuvent lui être fatales.

— Comment pourrais-je oublier la conduite de Michel? s'écria Irène, indignée. Comment pourrais-je me donner à lui après ce que je viens d'apprendre?

Olympe hocha la tête.

— Renonce-t-on si facilement quand on a une beauté comme la tienne? Te crois-tu donc incapable de le séduire et de te faire aimer?

— Oui, lança Irène, avec exaltation. Je le rendrai amoureux de moi, si amoureux qu'il souffrira comme un damné quand je le repousserai. Je veux qu'il souffre, qu'il soit aussi malheureux un jour que je le suis en ce moment.

Tout en parlant, elle arpentait la chambre de long en large.

— J'en suis certaine, maintenant, il m'a joué la comédie. Il a méprisé le sentiment que j'avais pour lui, il m'a bafouée.

On heurtait à la porte.

— Irène, es-tu prête? demanda une voix joyeusement impatiente.

Olympe alla ouvrir et Michel entra. Avant de s'éclipser avec discrétion, la vieille femme adressa un signe d'encouragement à Irène.

— Il faut partir, reprit Michel. Nous allons filer à l'anglaise. Je ne supporterai pas que l'on nous fasse rater l'avion. Demain, à cette heure-ci, ma chérie, nous serons sous le soleil de la Martinique.

Il eut un sourire qui releva les coins de sa bouche bien dessinée et découvrit ses dents éclatantes.

— Je m'en réjouis déjà. Toi aussi, j'espère?

Il s'approcha.

— Nous allons faire un merveilleux voyage, je te le promets. Je te ferai découvrir le charme des Antilles, la mer émeraude, les grèves de sable fin bordées de palmiers...

Il se pencha vers Irène et déposa un long baiser à la racine de ses cheveux. A ce contact, elle se raidit.

— Et je te ferai découvrir l'amour! ajouta-t-il tout bas, d'une voix sourde et ardente.

6

Ancienne résidence d'un seigneur des Isles, Belle-fontaine était une construction datant du XVIIᵉ siècle, immense et fraîche, entourée de tous côtés d'une spacieuse véranda. Admirablement conservée, elle se dressait au cœur même de la plantation et les quelque vingt pièces qui la composaient étaient garnies de meubles anciens du plus pur style colonial.

Une large allée plantée de cocotiers royaux conduisait aux champs de canne à sucre, où l'on voyait s'activer les employés coiffés de chapeaux de paille pour se protéger des ardeurs du soleil.

A son arrivée, le jeune couple avait été accueilli par Duvallon, le régisseur, et sa jeune femme, Josépha. Michel les retint pour le soir même.

Pendant les longues heures passées en avion, Irène avait feint de somnoler. Depuis son arrivée, elle avait prétexté le besoin de se rafraîchir et de se reposer pour se retirer avec Aglaé, la très jeune Martiniquaise qui lui servait de camériste, dans son appartement. Celui-ci consistait en un boudoir tendu de brocart rose à ramages, une chambre avec son grand lit à colonnes, garni d'une moustiquaire, et une salle de bains pourvue de toutes les ressources du modernisme.

Revigorée par un bain chaud suivi d'une douche froide, Irène se prépara pour le dîner. Elle revêtit une longue jupe noire, une blouse en soie blanche et noua autour de sa taille une large ceinture en faille rouge, qui en soulignait la finesse. Ses cheveux étaient ramenés en coque sur le sommet de la tête.

Quand elle entra au salon, Michel se précipita au-devant d'elle. Il passa son bras sous le sien et la conduisit vers les invités. D'excellente humeur, il offrit le punch traditionnel en guise d'apéritif.

La table avait été dressée sur la terrasse cernée de bougainvillées, aux grappes roses ou violettes, et de lauriers. Les hibiscus étendaient leurs branches porteuses de fabuleuses fleurs rayonnantes. A l'abri des photophores, les flammes des bougies tressautaient doucement.

— Il est facile de comprendre pourquoi la Martinique est surnommée l'*Île aux Fleurs,* expliqua Michel en désignant à Irène la luxuriante végétation. Je suis sûr que tu seras conquise au premier coup d'œil. Vous êtes bien de mon avis, Duvallon?

Le régisseur approuva avec enthousiasme.

— Qui ne serait conquis par notre île?

— Nous la visiterons, ma chérie, promit Michel, ainsi que la Guadeloupe. Je projette même d'organiser une croisière qui nous conduira à travers toutes les îles, de Saint-Martin aux Grenadines.

Le maître d'hôtel, en veste blanche, servit des *accras,* beignets de poisson, croustillants et dorés, relevés d'une pointe de piment, fleurant bon le thym. Irène les trouva délicieux et les autres convives apprécièrent en connaisseurs.

— Vous arrivez au bon moment pour faire du tourisme, assura Duvallon : le carême commence.

Surprise, Irène questionna :

— Le carême? En décembre?

Michel rit et expliqua :

— Dans toutes les îles, de mi-décembre à fin mars, ce qu'on appelle le carême est la période sèche, c'est-à-dire l'époque de l'année où la température est la plus agréable. Aucune humidité, de très rares averses, un chaud soleil dans la journée et des soirées fraîches. Le temps idéal pour donner une fête. Je vous en parlerai demain, ajouta-t-il à l'adresse de Duvallon. Je me propose de donner une réception pour fêter l'arrivée de ma femme à la plantation et mon vingt-huitième anniversaire. Je veux que ce soit une fête qui compte dans les annales de l'île.

Le vent soufflait avec une exquise légèreté, apportant avec lui les senteurs odorantes des fleurs et des arbres. Tout, dans ce cadre enchanteur, proclamait la douceur de vivre.

Irène sentit son cœur se serrer.

« Combien j'aurais été heureuse en d'autres circonstances dans ce pays de rêve, soupira-t-elle, si j'avais été sûre d'être aimée! »

Un long soupir mélancolique lui échappa. Les deux hommes qui parlaient ensemble ne le remarquèrent pas, mais Josépha posa un regard étonné sur la jeune fille. Gênée, celle-ci se détourna. Elle ne voulait pas laisser surprendre son secret.

Après le cochon de lait, accompagné d'ignames et de patates douces, une somptueuse corbeille de fruits fit son apparition sur la table. Elle était composée non seulement d'ananas et d'abricots, mais encore de fruits inconnus en Europe : goyaves, au goût de framboise, mangues et mangotines, sapotilles, au goût de sorbet, pommes-cannelle et prunes de Cythère, acidulées. Tous ces fruits portaient l'éclat et les couleurs de la nature antillaise et leur saveur ne le cédait en rien à leur apparence.

Quand le repas fut terminé, les convives retournèrent au salon. Le café bu, le maître d'hôtel présenta respectueusement une vénérable bouteille.

— Il faut absolument y goûter, assura Michel, en tendant un verre à Irène. C'est du Cœur de Chauffe, du rhum qu'on ne trouve qu'ici, vieilli pendant plus de quinze ans dans des foudres de chêne.

La jeune fille goûta le rhum. Il lui brûla le gosier. Mais c'était corsé et réconfortant. Elle accepta une seconde tournée.

Pendant que Michel s'entretenait avec Duvallon de l'administration de la plantation, Irène et Josépha avaient pris place sur une méridienne pour faire plus ample connaissance. Irène fut tout de suite conquise par Josépha, jeune femme franche et décidée, à l'heureux caractère, dont les grands yeux noirs révélaient la douceur. Elle fut ravie de s'apercevoir qu'elle allait trouver en elle une amie.

Josépha profita du moment où le maître d'hôtel faisait circuler des jus de fruits frais pour adresser un signe discret à son mari. Celui-ci comprit la signification de ce geste et bientôt tous deux se retirèrent. Irène les vit partir avec regret. Elle appréhendait le moment de se retrouver seule avec Michel.

Aglaé aida sa maîtresse à se préparer pour la nuit. Visiblement, la venue d'un jeune couple à Bellefontaine la comblait d'aise. Bavarde et animée, elle tournait autour d'Irène, qui la surprit glissant des brindilles d'arbrisseau sous les oreillers. L'œil pétillant, la jeune Martiniquaise expliqua, à voix basse, que c'était pour amadouer les esprits de la bonne entente amoureuse et de la fécondité.

Enfin, elle se retira, en souhaitant le bonsoir d'un air entendu.

Restée seule, Irène eut un sourire désabusé. C'était sa nuit de noces! Celle où elle aurait dû se trouver, pour la première fois, seule avec Michel et connaître le bonheur dans ses bras. La nuit dont rêvent toutes les jeunes filles amoureuses...

Combien la réalité était différente!

Irène se maîtrisa et sortit de sa chambre pour se diriger vers celle de Michel.

Devant la lourde porte en bois des îles, elle s'arrêta. Le courage lui manquait. Pourtant, elle frappa. La voix de Michel lui parvint à travers le panneau.

— Entrez!

En la voyant paraître sur le seuil, il eut l'air stupéfait. Il était encore tout habillé, n'ayant ôté que sa veste.

Il considéra Irène. Elle se tenait toute droite dans son déshabillé de satin blanc garni de dentelles, dont elle avait croisé l'encolure très haut pour supprimer le décolleté. Le vêtement glissait en souplesse le long de son corps. La jeune fille immobile, il était l'image même de la chasteté mais, dès qu'elle bougeait, on devinait le dessin des hanches et des seins, plus agressif que s'il eût été figé dans une forme moulante.

— Ma chérie, quelle impatience! Je m'apprêtais à aller te rejoindre. Mais je t'en prie, entre, dit Michel.

Il alla vers elle et esquissa un geste tendre. Irène recula.

Son teint animé, ses yeux brillants, sa respiration un peu oppressée trahissaient l'agitation à laquelle elle était en proie. Elle eut un léger mouvement de tête qui fit voleter son éclatante chevelure d'or cuivré.

— Ce sera très court, fit-elle, juste quelques mots à te dire.

— Moi, je brûle de te dire beaucoup de choses, s'exclama Michel, en riant. Pourtant, je te promets d'être moins solennel que toi.

— Je serai brève, continua la jeune fille, sans tenir compte de cette interruption.

— De quoi veux-tu me parler?

— D'une chose de la plus haute importance pour nous deux.

— Ne crois-tu pas que, pour leur première nuit ensemble, deux nouveaux mariés ont beaucoup mieux à faire qu'à engager une discussion? J'ai tellement hâte de te serrer dans mes bras!

D'une voix changée, aux intonations un peu rauques, il ajouta :

— J'ai hâte de retrouver l'enchanteresse qui m'a envoûté par une belle nuit de septembre. Tu m'es apparue si belle dans ta demi-nudité. C'est à ce moment-là que je suis tombé amoureux de toi. Et, maintenant, tu es à moi. Tu verras comme nous allons être heureux!

Il avait enlacé Irène et, avec fièvre, cherchait sa bouche. Elle se déroba.

— Non! fit-elle, d'un ton décidé.

— Qu'y a-t-il?

— Non! répéta-t-elle, comme si elle eût été incapable d'en dire davantage.

— Mais enfin... Tu es ma femme désormais.

Elle fut quelques minutes sans pouvoir répondre.

— Oui... Devant la loi.

— Eh bien, alors?

Et comme elle ne s'expliquait toujours pas, Michel continua :

— Ma chérie, dis-moi ce qui ne va pas?

Il tenta de la reprendre dans ses bras. De nouveau, elle s'écarta.

Michel blêmit, ses traits se contractèrent. Pourtant, il fit un effort sur lui-même pour se dominer.

— Écoute, Irène, fit-il d'un ton qu'il s'efforçait de garder calme, je comprends que tu sois fatiguée. Il y a eu tous les préparatifs de mariage, la cérémonie, le voyage d'Yvonville à Paris, de Paris à la Martinique, bref, mille choses éreintantes. Je ne te cacherai pas que je suis déçu : j'attendais cette nuit avec une impatience sans cesse grandissante et tu me fuis, tu me repousses. Mais je veux te donner une nouvelle preuve de mon amour. Tu vas aller te mettre au lit sagement et tu vas dormir autant que tu le voudras. Je t'attendrai jusqu'à ce que tu reviennes demain vers moi, plus belle que jamais et aussi amoureuse de moi que je le suis de toi. Et Dieu sait si je le suis!

« Comme il cache bien son jeu, pensa Irène, avec amertume. Bien sûr, je dois lui plaire, il me trouve belle et désirable. Mais comment pourrais-je croire à son amour maintenant que je sais? »

— Il est préférable de parler ce soir même, dit-elle tout haut.

— Parler de quoi?

Elle le regarda bien en face.

— De la vraie raison de notre mariage.

— La raison? Tu veux savoir la raison? L'amour, bien sûr!

— Vraiment?

— Absolument.

Irène se détourna un instant pour qu'il ne vît pas les larmes briller dans ses yeux. Elle marcha jusqu'à la fenêtre. Dehors, la nuit était splendide, odorante, bruissante de la vie nocturne de la nature, faite pour la tendresse et le plaisir.

— Michel, dit-elle lentement, je sais la vérité.

Interloqué, il restait sur place.

— La vérité? répéta-t-il.

— Tout d'abord, je dois vous confesser que j'ai découvert, oh! bien involontairement, le testament de la comtesse de Brétigny et que je l'ai lu.

Sans réfléchir, elle revenait au vouvoiement, qui marquait une barrière entre eux.

— Et alors? questionna-t-il.

Il sembla à la jeune fille que Michel était légèrement haletant.

— Alors, je vous pose la question qui a pour moi une

importance capitale : pourquoi m'avez-vous épousée?

Le visage de Michel était devenu livide. Ses mâchoires serrées, sa bouche crispée, indiquaient qu'il était en proie à une fureur inexprimable.

— Tu oses poser une pareille question? s'écria-t-il.

Sous l'empire de la colère qui la gagnait, elle aussi, les yeux d'Irène se teintaient d'un vert évoquant la mer par temps d'orage. Elle insista :

— Vous refusez de me répondre?

— Va donc au diable avec tes questions!

Le cœur d'Irène battait à tout rompre. La violente réaction de Michel n'était-elle pas la preuve qu'elle touchait juste? Elle avait espéré elle ne savait quoi, qu'il la détromperait, qu'il lui apporterait la preuve que seul l'amour l'avait guidé... Sa déception était cuisante. Égarée par la douleur, elle éprouva le besoin de faire souffrir à son tour.

— Cela n'a guère d'importance, déclara-t-elle, d'une voix étouffée. Si vous m'avez épousée par intérêt, nous sommes quittes.

Il ne répondit pas.

— Parce que, moi aussi, je ne vous ai épousé que par intérêt, laissa-t-elle tomber dans le silence.

Elle s'était rapprochée et tous deux se trouvaient face à face. Il la regardait, médusé.

Avant qu'elle n'eût compris ce qui lui arrivait, il l'avait saisie dans ses bras. Surprise, elle n'eut pas le temps de le repousser. Il avait pris ses lèvres et l'embrassait fougueusement, la serrant si fort qu'elle ne pouvait bouger. Elle essaya d'esquiver ce baiser, d'échapper à cette bouche exigeante qui la retenait prisonnière. A force de se débattre, elle parvint à se libérer.

D'un mouvement vif, elle tourna le dos à Michel. Se maîtrisant pour garder une allure calme et digne, elle traversa la chambre, la tête haute.

Michel n'avait pas fait un geste pour la retenir.

En sortant, elle eut le temps d'apercevoir qu'il était resté debout à la même place, immobile, les yeux fixés sur elle. Sur son visage tendu et presque douloureux, elle lut une expression nouvelle qui lui était étrangère.

7

LA journée commençait tôt à Bellefontaine. Dès 5 heures, le personnel se levait. Michel faisait de même. Toute la journée, il travaillait, veillait à tout, discutant avec les contremaîtres, faisant les comptes avec les gérants. Sa formation d'ingénieur lui était précieuse pour faire marcher l'usine à sucre. L'époque de la récolte était venue et l'effervescence était vive d'un bout à l'autre de la plantation.

Irène était réveillée chaque matin sur le coup de 9 heures par Aglaé, qui lui apportait son petit déjeuner. Elle présentait à la jeune fille, à côté d'une coupe remplie de fruits, le chocolat crémeux et les brioches chaudes.

Dans la journée, Josépha venait souvent voir Irène. Ensemble, elles faisaient des promenades, allaient se baigner dans la mer toute proche, puis paressaient au soleil sur les merveilleuses plages de sable blanc, tirant sur le rose.

Ce jour-là, elles revenaient de la baignade tout en parlant de la fête donnée par Michel, qui devait avoir lieu le lendemain. De nombreux invités étaient attendus.

— Toutes les familles de *békés* seront là, affirmait Josépha.

— Que signifie ce nom?

— Ils désignent les *blancs-pays,* c'est-à-dire les Blancs créoles de la Martinique et de la Guadeloupe. Certaines familles sont venues s'établir aux îles il y a trois siècles, elles forment une sorte de caste à part. Vous verrez, entre autres, Arnaud Le Vasseur, il appartient à l'une des plus anciennes familles de *békés* et il passe pour être le plus bel homme de la Martinique.

Elles quittèrent le chemin et s'engagèrent dans la savane.

Le soleil pâlissait curieusement.

— Hâtons-nous, il va y avoir une averse, annonça Josépha.

Au même moment, les premières gouttes s'abattirent. Les deux femmes se mirent à courir à travers l'étendue découverte pour gagner un abri.

Josépha était en tête, elle se dirigea vers le couvert des arbres. Irène la suivait. Malencontreusement, elle laissa tomber le sac de plage qu'elle tenait à la main et ses affaires se répandirent dans la boue. En vitesse, elle les ramassa, mais la pluie redoublait. Plutôt que d'essayer de rejoindre Josépha, elle avisa un bouquet d'arbres et se réfugia sous la ramure.

La voix de Josépha lui parvint, appelant :

— Irène, où êtes-vous? Je ne vous vois pas.

— Ici, répondit la jeune fille, agitant une écharpe.

Josépha cria très vite quelque chose, en faisant de grands gestes des bras. Irène la regardait, sans comprendre la raison de cette soudaine agitation.

Quittant son refuge, Josépha revint en courant près d'Irène. Parvenue près d'elle, elle la saisit vivement par la main et la tira avec force. Toutes deux se retrouvèrent sous l'averse.

— Pourquoi faites-vous cela? questionna Irène.

Josépha la regarda, affolée.

— Vous étiez sous un mancenillier. Cet arbre est très dangereux. Ne ressentez-vous pas des brûlures?

— Oui, en effet, ça me brûle par endroits.

— Cela vient de l'arbre, expliqua Josépha. Quand on s'abrite sous ses feuilles acides, il en suinte une sève vénéneuse qui brûle la peau et les vêtements. On peut même devenir aveugle si cette sève touche les yeux.

Elle examina attentivement la jeune fille. Celle-ci ressentait en maints endroits une sensation cuisante, comme si on l'avait brûlée avec un bout de cigarette. Des rougeurs apparaissaient.

— Je vais tout de suite rentrer à Bellefontaine me faire soigner, décida-t-elle. Sinon, je serai affreuse demain pour la fête.

— Attendez, nous allons trouver sur place de quoi vous soigner, dit Josépha.

Elle scruta l'horizon.

— J'ai trouvé, s'écria-t-elle. Venez!

Elle entraîna Irène sous un arbre d'une espèce différente, en cueillit quelques feuilles qu'elle appliqua sur les endroits atteints.

— Voilà qui va vous soulager.

— Qu'est-ce que c'est?

— C'est un " olivier-pays ", dont les feuilles adoucissent. Vous allez en emporter quelques-unes et, ce soir, vous vous en ferez des cataplasmes. A votre réveil, vous ne sentirez plus rien et il n'y paraîtra plus.

La pluie avait cessé aussi brusquement qu'elle avait commencé. Les deux femmes repartirent. A la croisée des chemins, elle se séparèrent.

— A demain, fit Irène. Je compte sur votre présence et celle de votre mari.

— Nous ne manquerons pas de venir. Une si belle fête!

Irène remonta la grande allée qui conduisait à la résidence. Michel était déjà rentré. Assis sous la véranda dans un fauteuil à bascule, un verre de punch à la main, il la regardait arriver.

— Voulez-vous un punch? demanda-t-il. Je vais appeler Gustave pour qu'il vous en prépare un.

— Non, merci. Je dois aller me sécher, j'ai été surprise par l'averse.

— Comme vous voudrez.

La jeune fille évitait de se trouver seule en présence de Michel. Tout de suite, la gêne s'installait entre eux et les propos de la plus grande banalité qu'ils échangeaient ne leur permettaient pas d'y échapper.

— En cette saison, les averses sont rares, reprit Michel, et elles ne durent pas longtemps. Mais je ne veux pas vous retenir, allez vous sécher. Ne vous pressez pas, je vous attendrai pour dîner.

Il se remit à se balancer nonchalamment, l'air parfaitement indifférent.

Le personnel de la plantation participait, lui aussi, aux réjouissances en l'honneur de l'arrivée d'Irène. Un dîner, offert par Michel, devait leur être servi sur de grandes tables en plein air.

Mais auparavant, au cours de l'après-midi, un combat de coqs, distraction très populaire dont tous les Martiniquais sont friands, avait lieu au village. Michel et son épouse furent invités à y assister.

Irène s'était décidée pour une robe très simple en toile de coton couleur parme. Ses cheveux retenus par une large barrette retombaient en boucles de cuivre sur ses épaules. Un chapeau de paille fine à larges bords la protégeait du soleil trop vif.

Michel l'attendait dans le hall. Avant de partir, il donna ses dernières instructions pour la réception.

— Il ne faudra pas rentrer tard, afin que vous ayez le temps de vous préparer, dit-il à Irène, au moment où ils prenaient place dans l'antique calèche qui devait les mener au village.

Il ajouta :

— Il faut que vous soyez ce soir la reine de la fête.

Il avait parlé d'un ton neutre sans regarder Irène.

« Il veut que je lui fasse honneur, pensa celle-ci. Que serai-je de plus ce soir qu'un objet décoratif? »

Depuis la nuit de leur arrivée, Michel n'avait plus fait allusion à quoi que ce soit. Il semblait avoir oublié la raison de leur désaccord et n'avait pas dit un mot pour détromper Irène ou tenter de se justifier. Celle-ci, trop fière pour revenir sur le sujet, n'en avait pas reparlé non plus. Le malentendu s'était installé entre eux.

Le village était envahi par une foule bigarrée et joyeuse, attirée par la réjouissance attendue. L'arrivée du jeune couple fut saluée par des cris et des exclamations, Irène était le centre de l'intérêt général. L'ancien du village souhaita la bienvenue, puis ajouta quelques mots en créole. Il semblait insister.

— Que veut-il? questionna la jeune fille.

— Il affirme qu'il n'a jamais vu des yeux comme les vôtres, répondit Michel. Il connaît les yeux bleus ou verts, une couleur changeante lui semble ressortir du domaine des phénomènes extraordinaires.

Finalement, le vieux alla s'asseoir, sans cesser de lancer à Irène des coups d'œil à la dérobée.

Elle s'installa à côté de Michel sur les gradins de bois qui entouraient une minuscule arène de terre battue. En voyant le flot des spectateurs monter, en se bousculant, à l'assaut du frêle édifice, la jeune fille ressentit de l'inquiétude. Mais la seule préoccupation de la foule était l'enjeu du combat qui allait commencer.

— Cette arène s'appelle le *pitt*, expliqua Michel. Le spectacle vous semblera sans doute, comment dirais-je? insolite, mais ici tout le monde y est habitué.

Enfermés dans des cages en lianes tressées, les deux gallinacés poussaient de sonores cocoricos, tandis que l'assistance manifestait son impatience en tapant dans les mains.

Deux hommes s'avancèrent et firent sortir les coqs de leurs cages. Tout d'abord, les combattants restèrent au milieu de l'arène à s'observer. Puis le coq noir s'élança à l'assaut. Il ne touchait plus terre. Son bec acéré piquait le cou du coq fauve, qui rispostait avec vigueur.

Certains spectateurs avaient parié gros. Ils hurlaient à pleins poumons pour encourager leur favori.

Choquée par la barbarie du spectacle, Irène se retenait de manifester sa répulsion, de crainte de froisser les gens du village. Elle sentit, tout à coup, une main venir se poser sur la sienne et emprisonner ses doigts. C'était Michel qui lui apportait une aide silencieuse.

— Ne manifestez aucune réprobation, aucun dégoût, chuchota-t-il. Ne détournez surtout pas les yeux.

Le combat continuait. Les coqs étaient de même force et aucun des deux ne voulait céder. Aplatis les uns contre les autres pour mieux voir, les spectateurs criaient et se démenaient comme des possédés.

La main de Michel glissa vers le poignet de la jeune fille et le caressa doucement.

Entre les rounds, chaque propriétaire soignait l'animal qui portait ses espoirs et sa fortune : il le rafraîchissait avec une éponge humide et le frictionnait avec du citron vert pour ranimer son courage, avant de le relancer à l'attaque.

La crête et la queue relevées, les ailes palpitantes, les plumes du cou hérissées, l'œil en feu, les deux coqs apportaient dans la lutte une ardeur et une furie extraordinaires. Ils s'arrachaient des plumes, se portant de cruelles blessures.

Il semblait à Irène que le combat n'aurait jamais de fin.

Elle se sentait au bord du malaise. Michel la vit pâlir. Il passa le bras autour de son épaule. Elle fut sensible à cette présence toute proche et se trouva réconfortée par ce bras et cette poitrine puissante contre laquelle elle cherchait appui.

Dans l'assistance, c'était du délire : jurons, exhortations, invectives claquaient dans l'air brûlant. Avec une curiosité avide et inquiète, chaque parti guettait les entailles.

Cependant, les volatiles commençaient à s'épuiser, leurs mouvements se faisaient plus lents, plus lourds. Les cris redoublèrent, l'atmosphère devenait intolérable.

Enfin, après une ultime mêlée, un ultime coup de bec et d'ergots, le coq noir retomba, inerte. Le combat était terminé.

Irène était tout étourdie, Michel l'aida à se frayer un chemin pour descendre des gradins.

Ils prirent congé des villageois après avoir félicité le propriétaire du coq vainqueur, qui riait d'un air satisfait, tandis que celui du vaincu laissait voir sa mauvaise humeur et son désappointement.

La calèche attendait Irène et Michel, ils y montèrent. Michel tourna résolument la tête, feignant de s'absorber dans la contemplation du paysage. Pendant tout le trajet, ils n'échangèrent pas un seul mot.

8

De retour à la résidence, Irène, bouleversée par la lutte de ces malheureux gallinacés, eut beaucoup de mal à recouvrer son calme. Pourtant, peu à peu, prise par les préparatifs de la soirée, elle oublia ses émotions qui progressivement s'estompèrent.

Elle avait beaucoup entendu vanter la beauté et l'élégance des créoles, aussi se devait-elle d'être à la hauteur. De plus, la nouvelle du mariage d'amour de Michel s'était propagée à travers les îles, ce qui aiguisait la curiosité de tous et faisait d'elle l'attraction de cette soirée.

Le goût prononcé des Antillaises pour les coloris violents n'avait pas échappé à la jeune fille, qui choisit délibérément dans sa garde-robe une toilette du soir noire.

Le corsage en dentelle largement décolleté, dont la transparence laissait deviner la carnation délicatement ambrée de la peau, et la jupe, formée de plusieurs épaisseurs de tulle, en faisaient un modèle d'une simplicité raffinée. La teinte sombre mettait en valeur les yeux pers et la flamme des cheveux. Des escarpins de satin noir complétaient la toilette.

Le meilleur coiffeur de Fort-de-France vint exécuter, d'après les indications d'Irène, une coiffure romantique. Les cheveux relevés en un chignon roulé étaient attachés très haut sur le sommet de la tête, des frisons encadraient le visage, voletant sur le front et les tempes.

Rebutée par le noir, elle qui aimait tant les couleurs, Aglaé avait suivi d'un œil réprobateur Irène s'apprêtant pour la soirée. Pourtant, quand elle la vit prête, elle ne put dissimuler son enthousiasme et admira bruyamment en battant des mains.

Dans le salon, Irène trouva Michel se préparant à accueillir les invités. Il était vêtu d'un smoking blanc, qu'il portait avec une désinvolture de grande classe. Le soleil des tropiques avait hâlé son teint, ce qui faisait ressortir le blond de ses cheveux et soulignait le brun de ses yeux. Il jeta à la jeune fille un rapide regard de connaisseur et sourit d'un air satisfait, mais il ne lui fit nul compliment.

Ensemble, ils reçurent les invités et quand tous furent arrivés on passa à table.

Le dîner se tenait dans la grande salle à manger, celle réservée aux repas de gala, avec ses magnifiques lambris de bois sombre. Sous les énormes lustres de cristal, la vaisselle d'argent étincelait; des fleurs rares s'épanouissaient dans tous les vases.

Arnaud Le Vasseur était assis à la droite d'Irène. La rumeur publique ne mentait pas en affirmant qu'il était un fort bel homme. Il faisait à Irène une cour pressante, empreinte d'une courtoisie de grand seigneur.

— Voyez-vous, lui dit-il tout à coup, parmi les femmes réunies autour de cette table beaucoup peuvent se targuer d'être belles. Pourtant, vous possédez ce petit quelque chose indéfinissable qui rend une femme plus attirante qu'une autre. Et je ne dis pas cela pour vous flatter.

— Quelle est donc cette mystérieuse qualité? demanda Irène en riant.

— Tout simplement ce qu'on appelle le charme. Et vous n'en manquez certes pas.

Le repas, composé de plats typiquement créoles, dura longtemps. Tout était nouveau pour Irène, Arnaud lui apprenait le nom des mets. Il y eut entre autres du *calalou,* savoureux potage aux herbes parfumées, des crabes de terre à la crème d'avocat, des biftecks de tortue au poivre vert.

Au dessert, Irène se contenta d'un sorbet à l'ananas.

Après le dîner, l'arabica fut servi dans les salons. Irène dut remplir ses devoirs de maîtresse de maison et aller dire un mot aimable à chaque personne présente. Elle avait vu juste au sujet de sa toilette. Alors que toutes les femmes portaient des robes aux couleurs très vives, c'était la teinte sombre de la sienne qui, par contraste, frappait et retenait l'attention.

Un petit orchestre, comprenant maracas, cordes et instruments à vent, s'était installé et préludait. Michel s'approcha d'Irène. Depuis le début de la soirée, il ne lui avait adressé que quelques mots, se contentant des brèves indications indispensables au bon déroulement de la soirée.

— Le bal va commencer, dit-il. Nous nous devons d'être ensemble pour les premières danses. Rassurez-vous, après je vous rendrai votre liberté.

Il l'enlaça. L'orchestre jouait une biguine, la danse de la Martinique. Irène observa la façon dont les Antillais la dansaient, différente de celle des Européens. Après quelque hésitation, elle s'enhardit et s'enchanta d'acquérir la rigidité hautaine de la tête et du buste contrastant avec le voluptueux déhanchement, encore amplifié par l'envol de sa longue jupe.

— Vous dansez aussi bien que si vous étiez une authentique créole, remarqua Michel, avec un étonnement admiratif.

Elle sourit sans répondre.

L'orchestre attaqua un calypso plus nonchalant, puis

enchaîna sur un blues nostalgique. Irène se sentait euphorique, toute à la joie physique de s'abandonner complètement au rythme de cette musique qui la grisait. Michel dansait avec une aisance particulière. Il sembla à la jeune fille qu'il la serrait contre lui peut-être plus que la danse ne l'exigeait, mais une étrange sensation de bien-être l'envahissait, leurs deux corps accordés se mouvaient d'un même élan.

Quand le blues fut terminé, elle se surprit à le regretter. Michel desserra son étreinte.

— J'espère que cette danse vous a plu? questionna-t-il.

Une lueur ironique dans les yeux, il la dévisageait avec une expression qu'elle jugea impudente. Il devait s'être aperçu du trouble qui l'avait envahie pendant qu'il la tenait enlacée. Cette pensée était insupportable à Irène.

— C'était parfait, répondit-elle, du bout des lèvres.

— Je suis obligé d'inviter d'autres dames présentes. Mais vous avez tout loisir de danser autant qu'il vous plaira et avec qui il vous plaira. Vous m'excusez?

— Bien sûr.

Irène se dirigea vers le buffet, qui regorgeait de sucreries, d'alcools et de boissons rafraîchissantes.

— Je vous ai regardée danser, c'était un délice. Vous étiez la grâce même, vous dégagiez une sensualité instinctive qui ne demande qu'à s'exprimer.

C'était Arnaud Le Vasseur qui venait de parler.

— Puis-je vous inviter? demanda-t-il.

— Non, pas maintenant.

Ils bavardèrent à bâtons rompus. Arnaud racontait les petites histoires, les potins qui couraient sur les principales familles de la Martinique et de la Guadeloupe.

L'orchestre marqua une pause. Irène aperçut, à l'autre bout du salon, Michel en conversation animée avec une ravissante créature, parée comme un oiseau des îles.

Arnaud surprit son coup d'œil.

— Votre mari est en aimable compagnie, fit-il. Je remarque qu'il n'a pas le mauvais goût de faire la cour à sa femme en public.

Un sourire ambigu accompagnait ses paroles.

Comme l'orchestre se remettait à jouer, il invita à nouveau Irène. Cette fois, elle accepta. Lui aussi dansait extrêmement bien, pourtant elle ne retrouva pas le plaisir qu'elle avait éprouvé avec Michel.

Elle fut sans cesse sollicitée. Elle accorda une danse à chacun mais, à la fin, elle dut demander grâce en riant.

Elle retrouva Arnaud, qui semblait l'attendre.

— Que diriez-vous d'un verre de punch? demanda-t-il.

— Volontiers, je suis exténuée.

Il se dirigea vers le buffet et revint avec deux verres.

— Il commence à faire trop chaud à l'intérieur. Allons sous la véranda, proposa-t-il.

La nuit des tropiques étalait sa splendeur. Une douceur énervante était dans l'air.

« C'est une nuit faite pour les amoureux », pensa Irène, qui se sentait envahie de nostalgie.

Arnaud s'approcha d'elle et lui tendit un verre.

— Goûtez.

Elle but une gorgée.

— C'est délicieux, mais très fort.

— Je pense bien, c'est du vrai punch antillais, pas une boisson pour touriste.

— Quelle différence y a-t-il?

Au milieu des éclats de rire qui parvenaient du grand salon, Irène reconnut la voix de Michel. Son visage se rembrunit.

— Le vrai punch antillais, expliqua Arnaud, est composé d'un cinquième de sirop de sucre de canne, de quatre cinquièmes de rhum « vieux » et d'un zeste de citron vert.

« Comme tout le monde a l'air gai ce soir! soupira intérieurement Irène. Je dois être la seule à me sentir du vague à l'âme. »

— Ce qu'on sert aux touristes sous le même nom, continuait Arnaud, c'est tout simplement un sixième de sirop de sucre de canne, deux sixièmes de rhum blanc, trois sixièmes de jus d'ananas et, comble de l'horreur, de la glace!

— Vraiment? demanda Irène, distraitement.

— Vous ne sentez pas la chaleur généreuse du vieux rhum circuler dans vos veines? demanda-t-il, en baissant le ton.

Il s'était approché d'elle un peu trop près. Elle fit quelques pas pour s'écarter.

— Je dois rejoindre mes invités.

— Déjà? Accordez-vous quelques instants de détente. Les gens de la métropole ne savent pas savourer la douceur de vivre.

Il dardait sur Irène un regard insistant.

— Je dois rejoindre mon mari, coupa-t-elle d'un ton sec.

Elle détourna la tête pour éviter le regard d'Arnaud. Elle devinait qu'il avait compris que tout n'allait pas pour le mieux entre Michel et elle-même. Cela l'irrita.

— Bonsoir, dit-elle.

Arnaud vint se placer devant elle.

— Attendez. Ici, dans nos îles, une femme doit toujours être accompagnée, même dans un salon. Nous autres, créoles, n'apprécions l'indépendance des femmes que juste assez pour pimenter nos relations. Je vais vous raccompagner au salon.

Elle ne put faire autrement que d'acquiescer, mais elle feignit d'ignorer le bras qu'il lui offrait cérémonieusement.

Les derniers invités, même les irréductibles qui ne savent pas s'en aller, étaient partis. Irène et Michel se retrouvèrent seuls dans les salons désertés.

— C'était une soirée très réussie, dit Michel. Tout a été parfait. Je suis très content.

Il releva d'une chiquenaude une fleur qui glissait hors d'un vase.

— Vous avez produit une grosse impression. Les hommes vous ont beaucoup admirée. J'ai été complimenté. Et même jalousé, je crois.

Sous le ton de la plaisanterie perçait une intonation amère.

— Il est tard et je commence à être fatiguée, coupa Irène.

Elle fut interrompue par l'arrivée de Gustave, le maître d'hôtel, qui paraissait être en proie à une vive émotion. Ses mains tremblaient, son teint avait pris des reflets grisâtres. Il s'approcha de Michel et lui parla tout bas à l'oreille. Michel écouta attentivement et une expression de contrariété se peignit sur son visage.

A voix basse, un dialogue s'engagea entre les deux hommes, qui semblaient avoir complètement oublié la présence d'Irène.

— Je viens, dit enfin Michel à voix haute.

Il s'adressa à la jeune fille :

— Excusez-moi, on m'appelle, je dois y aller. Je vous souhaite le bonsoir.

— Mais que se passe-t-il?

— Rien de grave. Ne vous inquiétez pas.

En hâte, il sortit, escorté du maître d'hôtel.

Irène était trop intriguée pour songer à aller se coucher. Un événement important, à en juger par l'émotion de Gustave, venait de se produire et on le lui cachait. Cet événement la concernerait-il? Elle voulut en avoir le cœur net. A son tour, elle se dirigea vers la véranda.

Un petit groupe s'était formé. Il y avait Michel, Gustave, le maître d'hôtel, et deux autres serviteurs. Tous regardaient attentivement quelque chose posé par terre devant la résidence.

Irène s'approcha elle aussi et regarda. Elle vit quelques plumes noires réunies en faisceau et liées par une herbe.

— C'est moi qui l'ai trouvé, déclara un des serviteurs d'une voix altérée. Je suis sûr qu'il n'y était pas au début de la soirée.

« Ce sont des plumes du coq noir qui a été mis à mort cet après-midi », constata Irène avec étonnement.

Prévenue de l'événement, Aglaé arrivait en courant. Dès qu'elle aperçut le tas de plumes, elle poussa un cri perçant. Le regard égaré, elle tendit les deux mains en avant, comme pour repousser une menace.

— C'est un *quimbois!* hurla-t-elle d'une voix stridente. C'est un *quimbois!*

Une terreur intense se lisait sur son visage.

9

La nuit était déjà très avancée quand Irène regagna sa chambre, après s'être efforcée, pendant de longues heures, de calmer Aglaé. Celle-ci était l'image même de l'épouvante, elle tremblait comme une feuille et roulait des yeux inquiets.

Ce n'est qu'avec bien des réticences qu'elle consentit à donner quelques éclaircissements sur le *quimbois*.

— C'est un messager qui annonce le malheur! expliqua-t-elle d'un ton lugubre.

En disant ces mots, elle traça en l'air un signe cabalistique avec deux doigts de la main droite.

— Celui qui est visé sait qu'on a invoqué contre lui les esprits du mal. Il doit alors se protéger et barrer à ces esprits la route invisible par laquelle ils sont venus.

— Un *quimbois* est-il toujours confectionné avec des plumes?

— D'autres matières peuvent servir de support.

— De quelle façon peut-on se protéger?

— En passant à la contre-attaque.

— Mais comment?

Aglaé baissa la voix :

— En s'adressant à un *quimboiseur*.

— Qui est-ce?

— C'est un sorcier. Toutefois il faut être sûr que son influence sur les esprits est plus forte que celle de la personne qui a jeté le mauvais sort. Sinon...

Elle n'acheva pas sa phrase mais son expression effrayée était suffisamment éloquente.

— Ne peut-on se défendre soi-même? demanda Irène.

— C'est beaucoup trop dangereux. Si on n'est pas soi-même suffisamment bien armé on risque le choc en retour...

Aglaé frissonna.

— Et ça, c'est vraiment terrible...

— Ne prenons pas l'affaire trop au sérieux, dit Irène. Après tout, ce n'étaient que trois plumes de coq attachées ensemble.

Mais Aglaé restait soucieuse. Un pli profond barrait son front.

— Ce qui est grave, murmura-t-elle, c'est qu'on ne sait pas au juste quelle est la personne visée. Et le malheur est sur toute la maison!

Irène se coucha au petit matin, épuisée. Tout de suite, elle tomba dans un profond sommeil entrecoupé de cauchemars.

A midi, Michel ne rentra pas déjeuner à la résidence.

L'après-midi, Irène décida d'aller se baigner. Elle prit son maillot et se dirigea vers la mer toute proche.

Elle suivit un sentier qui serpentait au milieu des fougères et des raisiniers, arbres inattendus prodiguant l'ombre de leurs larges feuilles vertes et les grappes de leurs raisins acides, qui ont curieusement le goût de ceux d'Europe. A un détour du sentier, elle découvrit une plage et aperçut Michel qui sortait de l'eau.

Il s'ébroua et se mit à courir le long du rivage. Ses cheveux blonds au vent, il allait de toute la vitesse de ses longues jambes. Irène ne put s'empêcher d'admirer sa prestance. Avec sa haute taille, sa carrure athlétique, ses hanches étroites, il évoquait quelque dieu païen.

Irène passa son chemin sans se faire voir et s'arrêta plus loin, près d'une petite baie peu profonde. Elle nagea paresseusement dans l'eau transparente et tiède. Après le bain, elle s'étendit sur la plage ombragée de cocotiers. Envahie d'une douce torpeur, elle poussa un soupir d'aise et ferma les yeux, bercée par le clapotement des vagues venant s'échouer sur le sable.

Un long moment, elle resta ainsi, flottant entre le sommeil et l'état de veille, mollement éventée par le souffle de l'alizé.

Il lui sembla tout à coup entendre un bruissement dans les fourrés. Elle entrouvrit les yeux. Ne voyant personne, elle s'assoupit à nouveau.

La sensation désagréable d'être observée l'éveilla. Tout d'abord, elle ne distingua rien, puis elle aperçut un homme immobile à l'ombre d'un bouquet d'arbres, qui semblait la guetter. Elle se dressa sur son séant et regarda l'homme. Il avait les cheveux grisonnants et l'allure d'un paysan. Il ne bougeait pas, comme figé sur place.

— Bonjour, dit-elle.

L'homme ne répondit pas. Il continuait à la dévisager.

La jeune fille n'était pas peureuse. Pourtant, la vue de cet homme immobile, muet, qui la fixait avec insistance, l'inquiéta. Elle se leva.

Ce fut alors qu'elle se rendit compte qu'elle n'était vêtue que de son bikini. Instinctivement, elle saisit sa robe de plage et l'enfila. Peut-être l'homme, un Antillais d'un certain âge, était-il choqué? Il n'y avait pas si longtemps que les femmes se montraient aussi dénudées sur les plages des îles.

A pas lents, l'homme s'approcha.

Irène eut une brève hésitation. Que devait-elle faire? Fuir? Elle n'en avait plus le temps et l'homme devait sûrement courir aussi vite qu'elle et mieux connaître les chemins. Elle décida de faire face et attendit.

L'homme continuait d'avancer. Il eut un hideux ricanement qui découvrit sa bouche édentée.

Brusquement, avec la rapidité de détente d'un fauve, il s'élança. D'un bond, il fut près de la jeune fille et, la saisissant aux épaules, il la jeta à terre.

Surprise par cette attaque foudroyante, Irène tomba en heurtant le sol avec la tête. L'homme avait mis un genou sur sa poitrine pour l'immobiliser et cherchait à saisir son cou avec ses doigts maigres et crochus. Le danger rendit à la jeune fille sa présence d'esprit. Elle tenta de repousser les furieux assauts et de préserver sa gorge. Elle réussit à se glisser de côté et, de toutes ses forces, hurla :

— Au secours! A moi! Michel!

Avec une main, l'homme tenta de la bâillonner. Elle le mordit jusqu'au sang et, profitant de ce qu'il retirait sa main, elle hurla à nouveau :

— Au secours! Michel!

Mais l'homme avait réussi à entourer sa gorge et commençait à la serrer. Irène suffoquait. En se débattant, elle rencontra un tronc de cocotier. Elle donna de grands coups de pied dans l'arbre, ce qui fit s'envoler tous les oiseaux au milieu d'un vacarme assourdissant.

Sans qu'elle comprît pourquoi, elle sentit l'homme desserrer soudain son étreinte. Il se leva et partit comme une flèche en direction de la forêt, où il disparut dans les taillis.

Irène tenta péniblement de se redresser. Une voix lui parvint :

— Comment vous sentez-vous?

Michel se penchait vers elle, l'air inquiet. Pantelante d'effroi, elle leva vers lui son visage pathétique et dolent.

Il palpa son cou avec précaution.

— N'ayez pas peur! Je suis là!

Mais la frayeur avait été trop forte. Irène voulut parler, elle ne put articuler un mot, ses larmes se mirent à couler.

— Laissez-vous aller, recommanda Michel.

Avec précaution, il la fit s'étendre. Elle gisait, toute tremblante, secouée de spasmes nerveux. Ses cheveux, encore humides du bain et décoiffés par la lutte, flamboyaient autour de son visage, dans lequel ses yeux brillaient d'un éclat fiévreux. Ses lèvres se gonflaient comme celles d'un enfant qui pleure. Sa robe de plage, au corsage déchiré, découvrait la naissance des seins et dissimulait mal le galbe lascif des hanches.

— Êtes-vous mieux maintenant? demanda Michel.

Sa voix rassurait Irène, qui s'apaisait dans ses bras. Il l'attira à lui et déposa un baiser sur son front. Très lentement, ses lèvres glissèrent jusqu'à celles de la jeune fille.

Elle fit un mouvement pour se dégager, mais sa main retomba. Elle manquait de force pour repousser cette bouche, pour lutter contre la chaleur insidieuse qui l'envahissait. Elle se sentait si bien. Sans presque en être consciente, elle répondit à son baiser. Ils s'embrassèrent fougueusement.

D'un geste vainqueur, Michel fit glisser la robe de bain et détacha le soutien-gorge du bikini. Un instant, il considéra les seins d'Irène, qui apparaissaient tels des fruits offerts. Puis, d'une main très douce, il les caressa lentement.

— Ma chérie! balbutia-t-il d'un ton oppressé. Tu es si belle!

Il s'allongea près d'elle et ses lèvres se posèrent au creux des seins. Sous l'ardente étreinte, elle s'abandonnait.

Un appel tout proche retentit soudain.

— Ohé! appelait une voix. Ohé!

Michel écouta.

— Mussieu de B'étigny, vous êtes pa' là?

C'était un employé de la plantation qui appelait.

— Je suis là, lança Michel, en se mettant debout.

Rapidement, Irène se rajusta et remit un peu d'ordre dans ses cheveux.

L'employé de la sucrerie apparaissait.

— Qu'est-ce que je dois fai'e du cheval?

— Ramène-le à l'écurie pour ce soir, dit Michel. Toi aussi, tu peux rentrer.

— Bonsoi', Mussieu.

Irène s'était levée. Confuse, elle n'osait regarder Michel.

— Il est temps de rentrer, murmura-t-elle.

— Comme vous voudrez, répondit-il après un temps.

Le silence s'appesantissait. Ce fut Irène qui le rompit.

— Qui est donc cet homme qui m'a agressée? demanda-t-elle.

Un court instant, Michel hésita.

— Je ne sais pas.

Il reprit :

— Ne croyez pas que je l'ai laissé filer en paix. Mais il était bien inutile de courir après lui, il connaît toutes les ressources du terrain mieux que moi et il doit avoir des caches dans la forêt. Autant poursuivre un lièvre à la course. Il ne perd pourtant rien pour attendre, je vais découvrir qui il est et le châtier.

— Allez-vous porter plainte?

A nouveau, Michel marqua une hésitation.

— Non, dit-il enfin, certainement pas.

— Et pourquoi? Il est dangereux.

— Ce n'est pas le genre de délit qui intéresse la police.

Elle le regarda, stupéfaite.

— Cet homme a pourtant tenté de m'étrangler!

Michel semblait de plus en plus gêné,

— Je parlais de ses motivations.

— Mais pourquoi s'en est-il pris à moi? Pourquoi a-t-il voulu me tuer?

Michel laissa ces questions sans réponse.

— Il ne faut plus jamais aller vous promener seule, trancha-t-il. Ne vous écartez pas de Bellefontaine et, en aucun cas, sans être accompagnée. Cela devient trop dangereux.

Devant l'air interrogateur de la jeune fille, il ajouta :

— N'oubliez pas que nous sommes ici sous les tropiques. On n'y a pas forcément la même vision des choses qu'en Europe.

Il ne consentit pas à s'expliquer davantage et resta préoccupé pendant le retour. Pas une seule fois, il n'esquissa un geste tendre à l'adresse d'Irène.

Maintenant que l'effroi causé par l'agression dont elle avait été la victime se dissipait, les pensées d'Irène revenaient vers Michel. La jeune fille se sentait remplie de confusion à l'évocation de la violence de l'élan qui l'avait entraînée vers lui. Elle avait failli succomber à ses caresses, dont son corps gardait le souvenir. Elle croyait sentir encore le frôlement de sa main sur sa poitrine et le contact de ses lèvres impérieuses et chaudes.

Elle se regarda dans la grande psyché de sa chambre. Dans ses yeux, une lueur inhabituelle brillait.

« Pourquoi ai-je été si bouleversée par ses caresses? Serais-je toujours éprise de lui? Il ne faut pas, je ne dois pas, il n'est pas sincère. »

Pourtant, cette hâte à la secourir, cette anxiété qu'elle avait lue sur ses traits n'étaient pas feintes. Qu'en était-il des sentiments de Michel?

Elle attendit avec impatience le moment de descendre pour le dîner. Peut-être alors l'attitude de Michel l'éclairerait-elle? Malgré elle, et bien qu'elle s'en défendît, elle se remettait à espérer.

Le gong retentit, annonçant le dîner.

Irène éprouva le besoin de se rassurer en jetant un dernier coup d'œil à la psyché. Elle portait une longue robe, comme toutes les femmes, le soir, sous les tropiques. Les motifs imprimés verts et bleus teintaient de leurs reflets les yeux changeants de la jeune fille. Elle avait drapé autour de son cou une écharpe en même soie légère que la robe pour dissimuler les ecchymoses qui le marbraient.

Malgré les récents événements, elle se sentait d'humeur allègre en descendant l'escalier.

Le son d'un rire de femme l'arrêta sur la dernière marche.

« J'ignorais que nous avions des invités », pensa-t-elle, étonnée.

Elle se dirigea vers le salon, d'où provenait le bruit.

Sur le seuil, la stupeur l'immobilisa.

Assise sur le canapé en face de Michel qui l'écoutait en souriant, Nicole pérorait, très à l'aise, un verre de punch à la main. Une expression railleuse flotta sur son visage quand elle vit Irène s'avancer dans le salon.

— Nicole vient d'arriver à la Martinique, expliqua Michel. Elle est chargée de faire un reportage sur la condition féminine aux Antilles pour le compte de *Marie-Claire*. Elle vient de décrocher ce job, ce sont ses débuts dans le journalisme.

— Malheureusement mon mari n'a pas pu m'accompagner, ajouta Nicole. Il est trop pris par ses affaires.

Le maître d'hôtel parut dans l'embrasure de la porte et fit signe à Michel.

— Passons à table, dit celui-ci. Pour accueillir dignement notre amie à la Martinique et fêter son premier reportage, j'ai demandé qu'on nous serve le champagne.

— Comme c'est gentil! roucoula Nicole. Moi qui aime tant cela!

Elle s'accrocha au bras de Michel. Irène remarqua qu'elle portait une robe de grand soir au décolleté vertigineux.

La jeune fille ne participait pas à la gaîté ambiante. Il lui semblait qu'une chape de plomb s'était abattue sur ses épaules. Une question avait jailli dans son esprit, dont elle ne connaissait pas la réponse et qui la torturait :

« Depuis quand est-il au courant? Cet après-midi, lorsqu'il me tenait dans ses bras et m'embrassait si passionnément, ignorait-il l'arrivée de Nicole à la Martinique? Ou bien... »

Son cœur cognait à coups précipités dans sa poitrine.

« Ou bien le savait-il et s'est-il joué de moi? »

10

Qu'EN pensez-vous, Michel?

La voix de Nicole s'éleva, une voix affectée teintée d'un accent snob.

« C'est au moins la vingtième fois qu'elle lui demande son avis depuis que nous sommes partis », constata Irène, agacée.

Sous prétexte qu'il connaissait bien la Martinique, Nicole accaparait complètement Michel. A toute heure du jour, elle surgissait à Bellefontaine, allant même jusqu'à le relancer à l'usine à sucre.

C'était elle qui avait eu l'idée hier de lui demander de la conduire à travers l'île pour y faire des repérages. En guise d'alibi, elle traînait derrière elle son photographe de presse chargé des prises de vues, un grand garçon dégingandé prénommé Franck. Celui-ci s'enfermait dans un mutisme réprobateur à l'égard de cette façon de faire du journalisme.

Nicole et Franck étaient arrivés de bon matin à la plantation dans une auto de louage. Irène avait pris place à côté de Michel dans un cabriolet grand sport et, l'une suivant l'autre, les deux voitures s'étaient mises en route.

Leur itinéraire les avait d'abord conduits au bord de la mer, à la Pointe-du-Bout.

— D'ici, vous pourriez faire des photos superbes, indiqua Michel.

Il désignait le splendide panorama sur la baie de Fort-de-France, qui s'étalait devant eux.

Frank prit quelques clichés, plus gêné qu'aidé par Nicole, véritable mouche du coche, qui le harcelait de recommandations et de remarques saugrenues.

Ils reprirent la route et atteignirent le but de leur excursion : le domaine de la Pagerie, où était née la belle créole, Marie-Josèphe-Rose Tascher de la Pagerie, future impératrice Joséphine.

Peu de vestiges de l'habitation subsistent mais Irène contempla les quelques souvenirs émouvants offerts aux visiteurs : des meubles, dont le lit d'enfant de Joséphine, des objets racontant la vie d'une famille. Elle fut émerveillée par le site où se dresse l'habitation, les collines dénudées formant un contraste romantique à souhait avec le fond de la vallée à la végétation luxuriante.

Cette visite aurait enchanté Irène sans la présence encombrante de la pseudo-journaliste.

Ils s'arrêtèrent pour déjeuner aux Trois-Ilets, pittoresque village tout proche. Ils dédaignèrent les restaurants pour touristes avec leur cuisine « continentale » et dénichèrent une petite auberge, où le patron, un authentique Martiniquais, offrait des plats du pays.

— Que me conseillez-vous, Michel? questionna Nicole, quand ils furent installés.

— Je propose que nous commencions notre repas en dégustant des *z'habitants*.

Tout le monde rit.

— Qu'est-ce que c'est? demanda Irène.

— Tout bonnement de grosses écrevisses de rivière servies avec de la sauce. Si toutefois vous ne redoutez pas les sauces très piquantes. Ensuite, puisque nous sommes dans les crustacés, nous pourrions continuer avec des crabes en *matoutou,* c'est un risotto de crabes de terre.

— Je suis sûre que nous allons nous régaler, déclara Nicole.

Elle adressa un sourire aguicheur à Michel.

— Quelle chance pour moi de vous avoir pour guide! susurra-t-elle. Que ferais-je, perdue dans ce pays que je ne connais pas?

— Vous vous débrouilleriez très bien, j'en suis sûr, rétorqua Michel.

— Pas si bien qu'avec vous.

Le patron apporta un grand plat de *z'habitants,* ce qui détourna la conversation.

Après le repas, Nicole voulut repartir faire de nouveaux repérages avec Franck et elle convainquit Michel de les accompagner. Irène préféra rester sur place. Elle se reprochait de manquer d'indulgence envers Nicole, pourtant elle se sentait incapable de la supporter une journée entière.

La jeune fille alla visiter les Trois-Ilets, qui doit son nom à trois petits rochers émergeant de la mer. Avec ses maisons et ses édifices publics toujours fraîchement repeints, c'est sans doute le village le plus coquet de toute la Martinique. Elle admira la petite église construite au XVIIIᵉ siècle, dans laquelle Joséphine fut baptisée.

Puis elle revint s'asseoir sous la tonnelle de l'auberge pour y attendre au frais le retour des excursionnistes.

L'après-midi était déjà avancé quand le cabriolet de Michel déboucha dans un nuage de poussière.

Franck avait l'air plus renfrogné que jamais, mais Nicole manifestait une grande exubérance. Michel semblait être de très bonne humeur.

Au moment de repartir pour Bellefontaine, Nicole poussa un petit cri et se frappa le front.

— J'ai une idée! s'exclama-t-elle.

Tout le monde la regarda.

— Il y a certainement des quantités d'endroits pitto-
resques que je ne connais pas. Michel pourrait me les
indiquer si nous étions dans la même voiture. Je propose de
permuter : je monterai dans la sienne et Irène dans celle de
Franck. N'est-ce pas une bonne idée?

Elle souriait, apparemment ravie de sa trouvaille.

Franck prit l'air détaché du monsieur qui n'est pas
concerné.

Michel se tourna vers Irène. Un instant, leurs regards se
croisèrent.

— Qu'en pensez-vous? demanda-t-il.

Elle souhaitait que Michel refusât, mais elle voulait que
la décision vînt de lui. Aussi se contenta-t-elle de répondre,
évasive :

— Faites comme vous voudrez.

— Cela ne vous ennuie pas?

Elle marqua un temps.

— Moi? Pas du tout.

— Dans ces conditions, allons-y! lança Michel.

Irène monta en voiture avec Franck, s'efforçant de
dissimuler son mécontentement. Par déférence pour elle,
Michel aurait pu répondre par un refus poli aux exigences
de Nicole. A moins qu'il n'ait été ravi de se trouver seul
avec elle. Absorbée par ses pensées, la jeune fille resta
silencieuse. Franck conduisait vite et bientôt ils arrivèrent
à la plantation.

Depuis longtemps, ils avaient perdu de vue l'auto de
Michel, restée loin derrière.

Irène traversait le vestibule quand le maître d'hôtel
l'arrêta.

— Vous avez une visite, annonça-t-il.

— Qui donc?

— Monsieur Arnaud Le Vasseur. Je lui ai dit que je ne
savais pas exactement quand vous alliez rentrer. Il a quand
même préféré attendre. Je lui ai servi un *planteur*.

— Vous avez bien fait.

Elle se dirigea vers le salon.

Arnaud lisait un journal du soir tout en dégustant sa boisson. A la vue d'Irène, il se leva.

— Comment allez-vous? questionna-t-il. Je suis ravi de vous voir. J'étais venu vous inviter, vous et Michel, à la soirée que je donne la semaine prochaine à la plantation Le Vasseur. Venez, ce sera très gai.

Il s'inclina devant elle et lui baisa la main.

Irène n'était pas en humeur de faire des mondanités, mais elle se contraignit à répondre avec un aimable sourire :

— Je serai enchantée de venir et Michel aussi, je n'en doute pas. Je lui en parlerai dès qu'il arrivera.

— Il est en voyage? J'avais cru comprendre que vous étiez partis ensemble pour la journée.

— Oui... C'est-à-dire... Nous sommes partis ensemble mais au retour il a accompagné une de nos amies, une journaliste parisienne, pour faire des repérages photographiques.

— Je vois, fit Arnaud.

Il ajouta :

— Je vais me retirer maintenant. Dites à Michel bien des choses aimables de ma part.

— Mais non, ne partez pas. Restez dîner avec nous. J'ai déjà invité le photographe qui nous accompagnait aujourd'hui. Je vais vous le présenter, vous pourrez bavarder pendant que je monte me changer.

Franck fit son entrée au salon et Irène laissa les deux hommes ensemble. Très intéressé par la photo, Arnaud entreprit tout de suite le photographe sur le chapitre des prises de vues. C'était un sujet de conversation tout trouvé.

Après s'être changée pour le dîner, Irène était redescendue rejoindre ses hôtes au salon. Arnaud faisait des efforts méritoires pour entretenir la conversation devenue languissante; Franck s'efforçait, sans conviction, de lui donner la réplique.

Les heures passaient. Michel et Nicole n'étaient toujours pas rentrés.

Partagée entre l'inquiétude et l'irritation, Irène hésitait sur la conduite à adopter. A la fin, elle n'y tint plus.

— Il faudrait peut-être faire faire des recherches pour savoir s'il ne leur est pas arrivé un accident, suggéra-t-elle.

Arnaud ne répondit pas immédiatement. Il semblait surveiller d'un œil intéressé les glaçons qui fondaient lentement dans son quatrième verre de *planteur.*

— Attendons encore une demi-heure. La route qu'ils ont dû prendre est très fréquentée, nous aurions certainement été prévenus en cas d'accident.

Il remarqua le geste d'impatience de la jeune fille et ajouta, sans la regarder :

— Voyez-vous, dans nos îles, tout le monde se connaît. Les nouvelles vont vite, de ce fait, elles sont souvent déformées. Ce serait dommage que les faits prêtent à confusion. Si nous alertons inutilement les autorités les langues iront bon train. Michel est à la tête d'une importante plantation, il a une réputation à soutenir...

Irène aurait voulu rentrer dans un trou de souris tant la honte l'oppressait. D'une façon détournée, Arnaud lui confirmait sa propre pensée : l'absence de Michel et de Nicole avait toutes les apparences d'une fugue. Elle trouvait mortifiant de se l'entendre confirmer à haute voix par un étranger.

— Vous n'avez rien bu, remarqua Arnaud. Prenez donc un *planteur,* cela vous fera du bien.

Il lui tendit un verre. Son regard s'attarda sur Irène.

— Rappelez-vous que vous pouvez toujours faire appel à moi. Je suis tout à votre disposition.

Irène ne répondit pas. Elle prit le verre et but quelques gorgées. La chaleur de l'alcool la pénétra et elle trouva la sensation agréable. Presque d'un trait, elle vida son verre. Arnaud le lui remplit à nouveau.

Onze heures venaient de sonner quand un crissement de pneus et un claquement de portières retentirent dans la nuit. Escorté de Nicole, Michel fit son apparition à la porte du salon. Il alla droit à Irène :

— Je suis désolé, vraiment désolé. J'ai voulu prendre un raccourci pour montrer à notre amie un coin très pittoresque mais j'ai eu des ennuis mécaniques. Il a fallu trouver un garage et cela n'a pas été facile. Me pardonnerez-vous ?

Irène se raidit.

— C'est auprès de nos invités qu'il faut vous excuser, répondit-elle, d'un ton bref.

Comme Michel commençait à donner de plus amples explications, elle le coupa :

— Le dîner a attendu si longtemps qu'il sera tout à fait immangeable s'il attend cinq minutes de plus.

Elle se dirigea vers la salle à manger, passant, sans la regarder, devant Nicole. Celle-ci, qui avait suivi la scène d'un air désinvolte, vit la mine contrariée d'Irène et un sourire moqueur se dessina sur ses lèvres.

Vêtue d'un déshabillé en mousseline bleu lavande, ses boucles rassemblées sur le sommet de la tête par quelques épingles, Irène réfléchissait, pelotonnée au creux du vaste sofa qui meublait son boudoir. Bien qu'il fût fort tard, elle était trop agitée pour avoir sommeil.

Le dîner avait été un supplice pour elle, malgré les efforts d'Arnaud pour tenter de dissiper la gêne qui régnait.

La dernière bouchée avalée, Franck s'était retiré, suivi de près par Arnaud. Nicole avait demandé un taxi pour la reconduire à son hôtel.

Irène était remontée très vite. En surprenant le regard qu'il lui lançait Aglaé à la dérobée, dans lequel elle lisait de la compassion, elle avait compris que toute la maison était au courant.

Au moment de la quitter après lui avoir souhaité une bonne nuit, Aglaé avait murmuré à mi-voix :

— C'est une méchante femme!

Devant le silence d'Irène, elle avait ajouté :

— Vous devriez consulter le *quimboiseur*, le mauvais sort est sur vous. Si vous voulez...

— Merci, c'est gentil. Nous en reparlerons plus tard.

Aglaé avait hoché la tête et s'était retirée, sincèrement navrée.

Un léger coup frappé à la porte tira Irène de sa rêverie.

— C'est toi, Aglaé? demanda-t-elle.

Ne recevant pas de réponse, elle crut s'être trompée. Mais, à nouveau, on frappa.

— Qui est là?

— C'est moi, Michel.

— Que désirez-vous?

— Puis-je entrer?

Irène eut une hésitation avant de répondre :

— Entrez.

Elle s'était levée et se tenait au milieu de la pièce.

Michel entra et referma la porte derrière lui.

— Qu'y a-t-il? questionna Irène.

— Je souhaiterais vous dire deux mots.

— Je vous écoute.

Elle parlait d'un ton froid.

— Je vois que vous étiez sur le point de vous coucher, s'excusa-t-il.

— En effet.

— Je suis désolé.

Elle vit son embarras mais ne fit rien pour l'aider.

— Si nous faisions la paix? proposa-t-il. Vous paraissiez fâchée pendant le dîner.

— Il serait plus juste de dire que j'avais conscience de me trouver dans la situation déplaisante d'une femme que son mari ridiculise publiquement.

— Il n'y a pas de quoi fouetter un chat dans toute cette affaire. Ce n'est pas parce que Nicole est montée dans ma voiture et que nous nous sommes trouvés retardés qu'il faut dramatiser.

Devant cette déclaration qu'elle jugeait cynique, Irène sentit monter la colère.

— Avez-vous remarqué l'expression de vos invités? Et celle de vos serviteurs? Tout le monde était affreusement gêné, sauf vous et Nicole, ajouta-t-elle avec amertume.

— Nicole est sans doute une jeune femme capricieuse et gâtée, pourtant, je vous assure qu'elle n'est pas méchante.

— Je vous en prie, ne parlons pas d'elle.

Le regard de Michel erra sur la jeune fille. Elle était face à la lumière qui rendait transparent son déshabillé et dévoilait les contours harmonieux de son corps.

Il s'approcha d'elle.

— Ne pourrions-nous nous réconcilier?

— Il est tard. Je souhaite me reposer.

— Laissez-moi vous expliquer...

— Il n'y a rien à expliquer, tout est clair.

Il insista.

— Ne soyez pas cruelle.

D'un geste imprévu, il attira Irène à lui. Elle essaya de se libérer mais, accentuant l'étreinte de ses bras, il la serra plus fortement.

— Vous osez...! s'indigna-t-elle. Après ce qui s'est passé aujourd'hui!

— Faisons la paix, répéta-t-il, la voix changée.

Il s'émouvait au contact de ce corps pressé contre le sien.

D'un mouvement vif, il glissa la main dans l'entrebâillement du décolleté et effleura le sein de la jeune fille, tandis que sa bouche cherchait la sienne.

Une expression d'aversion se répandit sur le visage d'Irène. Elle rejeta vivement la tête en arrière, les yeux étincelants, la respiration haletante. Sa chevelure dénouée ruisselait sur ses épaules.

Elle lutta tandis qu'il l'entraînait vers le sofa, où il se laissa tomber près d'elle. Avec habileté, il écarta son déshabillé et découvrit la poitrine. Sa caresse s'égara de la rondeur du sein à la hanche.

— Laissez-moi, gémit Irène, en se débattant.

— Vous me rendez fou!

— Je vous en supplie, laissez-moi!

De toutes ses forces, elle résistait mais elle ne parvint pas à se libérer.

— Je suis ton mari, dit-il d'une voix étouffée. Ne le sais-tu pas?

Irène considérait avec effroi ce mari qui l'étreignait avec une telle violence et semblait si décidé à parvenir à ses fins. Elle n'était plus protégée contre ses assauts que par le fragile rempart de son déshabillé. Déjà, sa caresse devenait de plus en plus insinuante...

Subitement, la jeune fille cessa de se débattre. Les bras étendus, le corps d'une rigidité de marbre, elle ne bougea plus.

— Puisque vous voulez me prendre de force, faites-le, lança-t-elle.

Surpris de cette reddition subite, Michel eut un mouvement de recul.

— Qu'attendez-vous? continua Irène avec véhémence. Vous êtes mon mari, vous êtes plus vigoureux que moi. Usez donc de vos droits et de votre force.

Elle vit l'hésitation de Michel.

— Qu'attendez-vous? répéta-t-elle. Je ne me défends plus, n'est-ce pas ce que vous vouliez?

Visiblement décontenancé, Michel regardait fixement Irène. Elle était restée étendue sur le velours sombre du sofa. Le déshabillé de mousseline ne la couvrait plus qu'à peine, laissant entrevoir ses jambes fuselées et découvrant ses épaules et le globe de ses seins.

Michel se releva. Un moment, il resta debout, immobile, avec l'air hébété d'un homme subitement dégrisé. Puis, sans transition, son expression changea et il jeta très vite :

— Excusez-moi.

La porte claqua derrière lui. Irène entendit son pas résonner sur le dallage de la galerie.

Elle se précipita pour mettre le verrou et revint s'écrouler sur le sofa. Elle pleurait, étouffée de chagrin et de honte. Non seulement il ne l'aimait pas mais il l'humiliait et se conduisait de façon indigne envers elle. Avec quel mépris l'avait-il traitée!

« C'est fini, se répétait-elle, secouée de sanglots. Je ne veux plus le voir. J'ai eu de l'amour pour lui, puis je ne l'ai plus aimé. Maintenant, je le déteste! »

11

— VOUS êtes ici chez vous, dit Josépha. Je vais vous conduire à votre chambre.

— C'est gentil à vous, remercia Irène. Je vais me reposer un peu, je me sens très lasse.

Irène avait passé une nuit blanche. Au petit matin, sa décision était prise : elle allait quitter Bellefontaine et se réfugier chez Josépha, en attendant de regagner la France, d'où elle engagerait une procédure d'annulation de son mariage.

Avec l'aide d'Aglaé, elle avait réuni en hâte quelques vêtements et s'était fait conduire chez le régisseur. Une lettre laconique informait Michel de sa résolution.

En l'absence de son mari, déjà au travail, Josépha l'avait accueillie comme une sœur. Sans pousser d'exclamations ni poser de questions oiseuses, elle lui avait spontanément offert l'hospitalité sous son toit.

Le soleil était à son zénith quand Michel surgit chez le régisseur au volant de sa Jeep. Josépha vint à sa rencontre. Pâle, les traits tirés, il paraissait très agité.

— Où est Irène? questionna-t-il.

— Elle se repose.

— Dites-lui que je voudrais la voir tout de suite.

— Je ne peux pas, elle dort. Il est préférable de ne pas la

réveiller, elle se trouve en état d'épuisement complet.

Duvallon parut sur le seuil de la maison.

— Entrez vous rafraîchir, proposa-t-il.

— Non, merci.

Michel arpentait fiévreusement la terrasse.

— Il est indispensable que je la voie au plus tôt, répéta-t-il.

— Maintenant, ce n'est pas possible.

Il eut un haussement d'épaules agacé.

— Je reviendrai à 5 heures. Soyez aimables de la prévenir de ma visite.

Il regagna sa voiture et démarra sur les chapeaux de roues.

Duvallon le regarda s'éloigner en secouant la tête d'un air dubitatif. Sans mot dire, il rentra, suivi de sa femme.

A son réveil, Irène fut mise au courant de la visite de Michel, mais elle refusa catégoriquement de le revoir. On eut beau insister, la jeune fille ne se laissa pas fléchir.

Dans l'atmosphère paisible de la maison Duvallon, Irène se rasséréna. Elle appréciait chaque jour davantage la compagnie de Josépha, qui possédait toutes les qualités des natifs des îles : la gentillesse, la gaieté, la générosité, le sens de l'amitié. Devenues de grandes amies, toutes deux échangeaient leurs confidences.

Josépha était navrée de voir la jeune fille si triste.

— Qui sait ce qui peut se passer? Il faut laisser faire le temps, conseillait-elle.

— Cela ne peut plus s'arranger, répétait Irène, avec l'accent du désespoir.

Aglaé avait apporté ses robes à Irène et elle revenait souvent la voir. Ce jour-là, elle s'était échappée de Bellefontaine pour prendre de ses nouvelles. Toutes trois devisaient, assises à l'ombre d'un micocoulier.

— Le malheur vient sûrement de ce que vous avez

contrarié les esprits le jour de vos noces, affirma Aglaé.

— Que veux-tu dire? demanda Irène.

— Avez-vous porté des sous-vêtements de couleur?

— Non.

— Avez-vous emprunté un sac à main usagé à une de vos amies?

— Non plus.

— Un sac à main neuf le jour de son mariage porte malheur, émit sentencieusement Aglaé.

— Mais je n'avais pas de sac!

— Vous voyez bien! C'est pour ça que ça n'a pas marché, vous n'aviez pas de porte-chance.

Elle ajouta :

— Dans ce cas, il y a un moyen d'arranger les choses, c'est de prendre un « bain démarré », pour chasser le mauvais œil. Vous allez vous baigner dans la mer le premier vendredi de chaque mois, mais le vendredi 13 peut aussi convenir.

Irène remercia chaudement Aglaé pour ses conseils. Pourtant, celle-ci était désolée. Elle se rendait compte que sa jeune maîtresse ne prenait pas ses exhortations au sérieux. Elle s'en retourna, convaincue que l'histoire se terminerait mal.

— Si vous alliez faire un tour? suggéra Josépha après le départ d'Aglaé. Je suis malheureusement retenue aujourd'hui à la maison, je ne peux vous accompagner. Mais vous pourriez prendre la voiture et pousser jusqu'aux Mornes Macabou, par exemple.

— L'après-midi est déjà avancé, objecta Irène.

— Vous avez encore le temps. Cela vous fera sûrement du bien.

La jeune fille ne se sentait pas très en train. Elle accepta pourtant de faire la promenade pour ne pas décevoir Josépha qui faisait tant d'efforts pour la distraire de ses sombres pensées.

Elle partit en direction de ces collines qui portent en Martinique le nom de mornes. Dans le ciel sans nuages le soleil brillait, dispensant une chaleur lourde et étouffante.

« Il fera meilleur dans les mornes que dans la plaine », pensa Irène.

Parvenue aux Mornes Macabou, la jeune fille gara la voiture sous un bouquet d'arbres et s'engagea sur le chemin escarpé qui menait au sommet. Elle ne trouva pas sous les frondaisons la fraîcheur espérée. Une touffeur d'orage y régnait, des nuées d'insectes bourdonnaient dans l'air immobile.

Quelques éclairs zébrèrent le ciel, Irène jugea plus prudent de rentrer. Elle se hâta de redescendre dans la vallée. En arrivant à l'endroit où elle avait laissé la voiture, elle constata que celle-ci avait disparu.

Le lieu était désert. On n'apercevait pas trace de vie humaine à l'horizon.

Irène envoya des appels à tous les échos. Personne ne répondit.

Le temps passait, la nuit allait venir.

« Il me faut aller à pied, décida la jeune fille. Je ne peux rester ici plus longtemps. En coupant par la forêt, j'irai plus vite, je trouverai le village que j'ai traversé en venant. »

Elle se mit en route et marcha longtemps sans rencontrer la moindre habitation. A la fin, elle s'arrêta.

« J'ai dû me tromper à la croisée des sentiers, pensa-t-elle. Le mieux est de revenir sur mes pas. »

Elle rebroussa chemin. Bien qu'elle s'efforçât de rester calme, elle commençait à s'alarmer. Dans le clair-obscur du sous-bois, elle ne retrouva pas le carrefour et dut s'avouer qu'elle s'était égarée.

« Il n'y a pas de quoi s'affoler, essayait-elle de se raisonner. Je vais bien finir par me retrouver. »

Sous la futaie, la température devenait accablante. Irène

se remit en route, dérangeant des animaux qui s'enfuyaient devant elle. La lune s'était levée, éclairant d'une lueur blafarde les grands arbres qui prenaient des allures fantomatiques.

Enfin, à travers l'épaisseur de la végétation, la jeune fille distingua une lueur dans le lointain. A mesure qu'elle s'en approchait, un bruit, d'abord assourdi, puis de plus en plus fort, parvint à ses oreilles.

C'était le battement sourd de tambours, rythmant une mélopée lente et nostalgique.

Irène s'arrêta sur un petit promontoire, d'où elle pouvait observer les environs.

Le spectacle qu'elle découvrit la stupéfia.

La lune maintenant dans son plein éclairait une clairière au centre de laquelle se dressait un poteau entouré d'une multitude de bougies allumées. Un cercle avait été tracé à la craie sur le sol nu. Tout autour, des hommes et des femmes se pressaient. Postés à gauche du cercle, plusieurs musiciens tapaient avec leurs mains sur des tam-tams, dont ils tiraient des sonorités obsédantes.

Dans un coin, sur un trépied incandescent, brûlaient des herbes odorantes.

Un vieillard parut, tenant un récipient. Suivant ce qui semblait être un rituel, il y trempa un rameau qu'il agita très haut, aspergeant les quatre points de l'horizon.

Cependant, le rythme des tam-tams s'accélérait. Les assistants se mirent à danser en chantant, scandant à coups de talons le tempo toujours plus fort, toujours plus rapide.

Irène aperçut dans un coin une sorte de cage rudimentaire, dans laquelle était enfermée une chevrette blanche.

La jeune fille se sentait gagnée par l'angoisse. Elle voulut s'éloigner de ce lieu, mais de nombreux participants arrivaient encore. Il lui était impossible de s'engager à nouveau dans la forêt sans être vue. Elle se dissimula derrière un bouquet d'arbustes d'où elle pouvait observer, sans se faire débusquer, l'étrange cérémonie qui se déroulait sous ses yeux.

Dans la clairière, celui qui semblait être l'officiant lançait à la face du ciel une incantation qui eut pour effet d'enflammer les assistants. Ils ne se possédaient plus. Leurs corps répondaient d'instinct à la pulsation exaltante des tambours. Le visage grimaçant, les yeux révulsés, ils tournoyaient sur eux-mêmes avec un entrain effréné.

Le spectacle de ce surprenant cérémonial figea Irène de stupeur, elle en suivit le déroulement avec effarement.

En bas, les interminables percussions commençaient à agir, provoquant une sorte d'hypnose collective. Plusieurs danseurs étaient entrés dans le cercle de craie. Vacillant, trébuchant, se contorsionnant, ils n'étaient plus que danse et frénésie.

La chevrette blanche fut tirée de sa cage et déposée près du poteau. Un des assistants s'avança, un couteau à la main.

Irène eut un sursaut.

« C'est horrible! murmura-t-elle. Ils vont la sacrifier! »

Les récits chuchotés par les serviteurs de la plantation lui revenaient en mémoire. Il devait s'agir du culte vaudou, célébré à minuit le jour de la pleine lune, exigeant des sacrifices rituels. Ne disait-on pas que, dans un passé encore tout proche, on sacrifiait des humains?

Epouvantée, elle voulut fuir. Dans sa précipitation, elle posa le pied sur une grosse motte de terre meuble qui céda et dévala la pente du promontoire, entraînant tout sur son passage. Plusieurs pierres se détachèrent et vinrent rouler jusque dans la clairière.

Irène s'était immobilisée, paralysée par l'épouvante.

A la lueur de la lune, sa silhouette se détachait avec netteté sur le fond sombre des taillis. Les danseurs et les musiciens s'étaient arrêtés. Des têtes se levèrent, des bras se tendirent en un geste de menace, des cris hostiles éclatèrent.

Se sentant en péril, Irène se faufila à travers les buissons, mais les assistants se lancèrent à sa poursuite en poussant des clameurs. Bientôt, elle fut environnée d'une meute hurlante. Elle courait à travers la forêt, giflée au passage par les branchages, écorchée par les ronces, trébuchant sur les racines. La terreur lui donnait des ailes. Ses poursuivants ne se laissaient pourtant pas distancer, ils possédaient une meilleure connaissance du terrain et une plus grande habitude des courses à travers la forêt tropicale.

Elle se trouva soudain devant un mur formé par un buisson d'épineux. Il lui était impossible de le franchir ni de reculer. En un instant, elle se trouva encerclée.

Elle se retourna, bien décidée à faire face. Un homme se tenait devant elle, menaçant. Elle ne distinguait pas ses traits mais elle remarqua qu'il tenait un gourdin à la main.

Il leva le bras et le laissa s'abattre. Irène sentit une douleur sourde se répercuter dans sa tête. Elle voulut se défendre, appeler à l'aide. En vain. C'était comme dans les cauchemars : elle criait, mais aucun son ne sortait de sa bouche.

Elle sentit qu'on la saisissait à bras-le-corps. Des gens de plus en plus nombreux devaient l'entourer, à en juger par leurs cris qui s'enflaient démesurément dans sa tête douloureuse.

L'homme au gourdin se détacha du groupe. Avant de sombrer dans l'inconscience, elle eut encore la force de le reconnaître : c'était lui qui l'avait agressée sur la plage.

La clameur cessa. On n'entendit plus dans la forêt que le piétinement d'une troupe en marche et l'appel lancinant des tam-tams, qui s'étaient remis à battre.

12

Un rai de lumière vint frapper en plein le visage d'Irène, la forçant à cligner des yeux. A travers l'entrebâillement de la porte elle distingua le vert de la végétation. Péniblement, elle se dressa sur son séant et regarda autour d'elle. Elle se trouvait dans une case de construction rudimentaire, aux murs faits de bois, de paille et d'argile. Les seules ouvertures, à part la porte, étaient d'étroites fentes pratiquées à hauteur de plafond.

« Qu'est-ce que je fais là? » se demanda-t-elle.

Peu à peu, les détails de la soirée de la veille se précisèrent. Elle avait été enlevée! Pourquoi? Où se trouvai.-elle? Entre les mains de qui?

Une femme âgée, au visage sillonné de rides innombrables, se glissa silencieusement dans la case, une écuelle à la main.

— Vous, manger, grommela-t-elle.

Elle posa sur la table l'écuelle remplie d'une soupe confectionnée avec du manioc délayé à l'huile et arrosé de citron vert.

— Je n'ai pas faim, murmura Irène, j'ai soif.

La vieille sortit et revint très vite, apportant un pot rempli d'une boisson chaude. La jeune fille en but deux grands bols avec avidité.

Elle tenta de se mettre debout, mais vacilla. Sa tête était douloureuse et ses membres engourdis. Elle fit pourtant quelques pas en direction de la porte. Aussitôt, la gardienne s'interposa.

— Vous, rester tranquille, ordonna-t-elle.

— Mais je veux sortir, je veux rentrer chez moi.

La vieille ne daigna pas répondre et s'assit devant la porte sur le sol de terre battue.

Irène s'apprêtait à protester quand un bruit parvint à ses oreilles. Deux hommes parlaient fort devant la case. L'un d'eux entra. La jeune fille reconnut avec effroi son agresseur.

Le cœur battant à tout rompre, elle recula en le voyant s'avancer vers elle. Dans une langue inconnue, il jeta quelques mots à la gardienne qui s'éclipsa.

Malgré sa peur, Irène interpella l'homme :

— De quel droit me retenez-vous prisonnière? J'exige que vous me laissiez sortir immédiatement.

Il ricana sans répondre, dardant sur elle un regard torve.

« C'est un fou », pensa-t-elle, de plus en plus alarmée.

Il se porta en avant, grimaçant, les yeux exorbités, la main tendue vers son visage. D'un bond, elle se réfugia à l'autre bout de la case. Prête à se défendre avec fureur, elle chercha des yeux un objet pouvant lui servir d'arme. Elle ne vit rien de tel dans cette case misérable et nue.

— Ne m'approchez pas! ordonna-t-elle avec emportement.

L'homme s'arrêta, indécis, visiblement surpris de la résistance qu'elle lui opposait. Il dut changer d'avis et préférer battre en retraite. En sortant, il se retourna pour lui lancer un regard si lourd de menaces qu'Irène sentit son sang se glacer dans ses veines.

La journée s'écoula lente et monotone.

Dans la solitude de la case, Irène languissait de crainte. Elle étouffait dans cette atmosphère mal ventilée. Des bruits indistincts parvenaient jusqu'à elle. Profitant d'une absence de sa gardienne, elle tenta de s'échapper. Un homme posté devant la porte lui barra le passage avec un épieu, en proférant des invectives.

A la nuit tombante, la gardienne apporta une autre écuelle de soupe et un broc de tisane. Irène mourait de faim et de soif, elle s'abstint pourtant de boire ou d'absorber la moindre nourriture, de crainte qu'on n'y ait introduit un soporifique.

Assise sur le lit fait d'une planche de bois mal équarri posée sur des billes de cocotier, elle ressassait ses inquiétudes. Que lui voulait cet homme qui semblait éprouver une telle haine pour elle? Dans quel sombre dessein la retenait-il prisonnière?

Ne la voyant pas rentrer la veille au soir, Josépha avait dû donner l'alarme. On devait la chercher dans les mornes et aux environs. Pourquoi ne l'avait-on pas encore retrouvée? Avait-elle été transportée trop loin des mornes? C'était atroce de rester ainsi dans l'ignorance la plus complète de son sort.

Une autre pensée la taraudait. Michel avait forcément été prévenu. Que faisait-il? S'était-il mis personnellement à sa recherche ou laissait-il ce soin à la seule police?

Insensiblement, l'ombre avait envahi la case. Irène luttait contre le sommeil qui la gagnait. Elle dut pourtant s'assoupir malgré elle, car une série de claquements secs la réveillèrent. Elle écouta. C'étaient des coups de feu. Une rumeur confuse et tumultueuse s'éleva dans la nuit. On criait. On courait en tous sens autour de la case.

Les détonations se rapprochèrent. Effrayée, la jeune fille s'était réfugiée dans un coin, où elle se tenait accroupie. Brusquement, la porte s'ouvrit sous une violente poussée. Une silhouette d'homme se profila, tenant un fusil à la main. Une voix appela :

— Irène, êtes-vous là?

Elle poussa une exclamation de joie en reconnaissant la voix de Michel.

— Êtes-vous ligotée? demanda-t-il, sans cesser de surveiller l'extérieur.

— Non.

— Alors, venez vite.

Elle se précipita vers lui. Il lui saisit la main et l'entraîna en courant.

Ils avançaient à découvert. Un frôlement dans les hautes herbes fit se retourner Irène. Elle n'eut que le temps de hurler :

— Attention!

Une ombre s'était élancée et avait agrippé Michel au cou, lui faisant perdre l'équilibre. Il tomba, entraînant son agresseur dans sa chute. Les deux hommes roulèrent sur le sol. Michel se défendait farouchement contre les assauts forcenés de son adversaire. C'était une lutte frénétique, sans merci. Aucun ne voulait lâcher prise.

Irène aperçut le fusil que Michel avait lâché en tombant. Elle se précipita pour le ramasser et le mettre hors de portée de l'adversaire.

Enfin, Michel eut le dessus. Il se releva, la chemise en loques, tandis que son assaillant restait étendu, sans mouvement.

— Il n'est pas mort? questionna Irène à mi-voix.

— Non, juste assommé, le temps nécessaire à notre fuite. Ne nous attardons pas, chaque minute compte. J'ai mis en déroute vos gardiens mais ils ne vont pas manquer de revenir avec des renforts.

Elle lui remit son fusil et ils s'engagèrent dans la forêt.

— Évitons les sentiers et gardons le silence, chuchota Michel.

Avec précaution, ils progressèrent, écartant au passage

la végétation très drue qui ralentissait leur avance.

Ils entendirent résonner de loin le bruit d'une galopade dans le sentier. Michel s'immobilisa et du geste entraîna Irène au creux d'un buisson, où ils se dissimulèrent. La place y était si mesurée qu'ils durent se serrer l'un contre l'autre. Irène grelottait de peur. Très calme, Michel, en un geste de protection, lui mit la main sur l'épaule. Elle se sentit rassurée par l'énergie dont il faisait preuve.

Le danger passé, ils se remirent en marche. Michel allait devant, traçant le chemin. Soudain, il s'arrêta et se tourna vers Irène.

— Nous y sommes, annonça-t-il.

Ils débouchèrent sur une route. A côté d'une auto qui stationnait tous feux éteints, un homme faisait le guet. C'était Duvallon.

— Enfin, vous voilà! s'exclama-t-il en s'avançant vers eux. Je me demandais si je devais vous attendre ou aller prévenir la gendarmerie.

— Je vous avais dit que je la trouverais et que je la ramènerais, répliqua Michel, imperturbable. Elle est là.

— Comment vous sentez-vous? demanda Duvallon à Irène.

— Éloignons-nous au plus vite, dit Michel. Il n'est pas prudent de rester dans les parages.

Ils s'engouffrèrent dans la voiture. Michel se mit au volant, le moteur gronda et le véhicule démarra d'un bond. Ils roulèrent à tombeau ouvert jusqu'à Bellefontaine.

— Après ce qui vient d'arriver, il est préférable que vous habitiez sous mon toit, déclara Michel, en aidant Irène à descendre de voiture.

Elle voulut protester, mais Duvallon prit la parole.

— Je crois aussi que c'est préférable, en raison des récents événements. Le danger est peut-être plus grand que vous ne l'imaginez, ajouta-t-il, comme pour s'excuser.

Il prit rapidement congé.

Michel soutint Irène, qui défaillait de fatigue, et la fit entrer.

— Vous devez avoir faim, s'enquit-il. Je vais vous faire porter un plateau dans votre chambre et appeler Aglaé pour qu'elle vous prépare un bain chaud. A propos, je n'ai pas encore eu le temps de vous annoncer la visite de ma mère. Elle arrive de Paris après-demain accompagnée de ma tante Gabrielle. Mais vous aurez toute la journée de demain pour vous reposer.

Il s'éloignait. Irène le retint.

— Je suis désolée de vous avoir inquiété, commença-t-elle.

— Vous pouvez vous vanter de nous avoir fait une belle peur.

— Je tiens à vous remercier. Sans votre intervention rapide...

— Ce n'est rien. N'en parlons plus.

— Je ne trouve pas. J'étais en bien mauvaise posture et je vous suis reconnaissante...

— Il n'y a vraiment pas de quoi, coupa Michel d'un ton désinvolte. Ce que j'ai fait pour vous, je l'aurais fait pour n'importe quelle autre personne en danger.

Mme de Brétigny donna un coup d'éventail sur le bras de son fauteuil.

— J'en ai appris de belles! s'exclama-t-elle. Nous sommes le sujet des conversations de toute la Martinique.

La famille était réunie après le dîner dans un des salons de la résidence, où le café était servi.

— N'exagérons rien, dit Michel.

— Je n'exagère pas. Il n'est bruit dans toute l'île que de vos dissensions conjugales.

Elle jeta à Irène un regard dépourvu d'aménité.

116

— De mon temps, une honnête femme ne faisait pas tant parler d'elle, remarqua-t-elle avec aigreur.

— Il ne faut pas attacher trop d'importance aux commérages, émit timidement Gabrielle.

— Des commérages!

L'indignation faisait trembler la voix de Mme de Brétigny. Elle apostropha Michel :

— Enfin, oui ou non, ta femme s'est-elle enfuie du domicile conjugal?

Michel semblait désireux d'endiguer la fureur de sa mère.

— Enfuie n'est pas le mot qui convient. Je vais t'expliquer, commença-t-il...

— Crois-tu que je n'aie pas encore compris?

— Cela arrive, fit Gabrielle, des disputes entre jeunes mariés.

Mme de Brétigny la foudroya du regard.

— Il n'y a jamais eu de scandale dans la famille de Brétigny, ce n'est pas aujourd'hui que cela va commencer.

Le séjour de Mme de Brétigny à Bellefontaine avait mal débuté. Dès son arrivée, le jour même, elle avait été mise au courant de tous les faits et gestes du jeune ménage par Élise, sa camériste, véritable gazette vivante. C'était d'elle que Mme de Brétigny tenait tous les détails, encore amplifiés et embellis.

Sa colère ne faisait que croître.

— Qui aurait pu croire qu'une chose pareille allait se produire! Il est vrai que lorsqu'on épouse quelqu'un qui n'est pas de son monde...

— Je t'en prie, intervint Michel. J'ai épousé qui je voulais. Au demeurant, tu étais d'accord pour mon mariage.

— C'est vrai, admit Mme de Brétigny, j'étais parfaitement d'accord.

« A cause de l'héritage », pensa Irène avec amertume.

Elle ressentit un douloureux pincement au cœur. Involontairement, son visage se crispa à cette évocation qui lui était toujours pénible. Un moment, elle resta prostrée, n'écoutant plus ce qui se disait autour d'elle. En relevant la tête, elle rencontra le regard compatissant de Gabrielle, posé sur elle.

— Quoi qu'il en soit, décrétait Mme de Brétigny, il nous faut aviser. Faire en sorte de couper les ailes à toutes les calomnies qui circulent.

« Pas un instant, elle ne s'inquiète de ce que je pense ou de ce que je ressens, songea Irène. Pas plus que des sentiments de son fils. »

Michel paraissait très énervé.

— Il n'y a rien à aviser du tout, trancha-t-il. Mes affaires ne regardent pas les autres et leur opinion m'indiffère. Je préfère ne plus parler de tout cela.

— Comment? Ne plus en parler?

Mme de Brétigny suffoquait d'indignation.

— Il eût été préférable de ne pas donner tant de prise aux bavardages. Maintenant, le mal est fait. Dis-toi bien que tant que je serai vivante je défendrai l'honneur de la famille. Envers et contre tous, même contre mon propre fils.

Elle marqua une pause.

— Sans parler de ma belle-fille, ajouta-t-elle avec perfidie.

Visiblement contrarié par cette remarque, Michel intervint :

— Je t'en prie, dit-il d'un ton sec, laisse Irène tranquille.

— C'est cela, défends-la! Voilà bien les idées modernes!

Elle s'éventa fébrilement.

— Et cette Josépha! Quel besoin avait donc la femme d'un régisseur de se mêler de tes affaires!

— Josépha est hors de cause.

— C'est toi qui le dis.

Michel eut un geste d'impatience.

— Enfin, dit Mme de Brétigny, il faut conclure et décider de la meilleure chose à faire.

Personne ne répondit. Irène était à bout de patience, elle sentait ses nerfs tendus à craquer.

Le grand cartel Louis XVI sonna dix coups avec une lenteur majestueuse.

Dans le silence qui s'alourdissait, la voix flûtée de Gabrielle s'éleva soudain :

— A mon avis, la meilleure chose à faire pour Irène et Michel est de divorcer, dit-elle d'un ton pénétré.

13

PENDANT la scène qui venait de se dérouler, Irène s'était efforcée d'ignorer la hargne de Mme de Brétigny et de garder bonne contenance. Elle ne voulait pas montrer à quel point elle était affectée par ses propos. Quand elle fut seule dans sa chambre, elle se laissa aller à la tristesse et au découragement qui la gagnaient. Elle se sentait si vulnérable face aux attaques de Mme de Brétigny. Mais le plus étonnant n'avait-il pas été d'entendre Gabrielle décréter de sa voix douce : « La meilleure chose à faire est de divorcer ! »

À ces mots, Irène avait ressenti une émotion plus vive qu'elle n'aurait pu se l'imaginer. Brusquement, elle avait réalisé qu'un divorce allait la séparer pour toujours de Michel, que les jours, les mois, les années passeraient sans qu'elle le revît jamais plus ! C'était le glas d'un beau rêve que sonnait cette petite phrase.

« Mais alors, se répétait Irène en plein désarroi, si j'ai tant de peine c'est que je tiens à lui. Est-il possible que je l'aime encore ? »

En découvrant Gabrielle sur le seuil de sa chambre, elle sursauta.

— Je m'en doutais, murmura Gabrielle à mi-voix.

Irène s'essuya rapidement les yeux.

— Excusez-moi, dit-elle, j'étais distraite. Je ne vous ai pas entendue frapper.

— Je me doutais de ce que vous ressentiez, répéta Gabrielle.

Elle remarqua le haut-le-corps d'Irène.

— Ne croyez surtout pas que je sois votre ennemie. C'est, au contraire, pour vous aider que je suis là.

— Pour m'aider?

— Oui. Et je constate en voyant vos beaux yeux si tristes que je ne me suis pas trompée.

Gênée d'avoir été surprise, Irène essaya de détourner la conversation.

— J'ai été très secouée ces derniers jours et je suis encore extrêmement nerveuse.

— Bien sûr. Le médecin nous a rassurés sur votre santé, mais il vous faut des ménagements, des soins. Allons, le meilleur des remèdes serait encore le bonheur.

— Oh! le bonheur! murmura Irène d'un ton désabusé.

— Mais oui, le bonheur. A votre âge, on y croit.

Irène eut une moue triste.

— On peut être malheureux à tout âge.

— L'êtes-vous?

— Hélas! Ne le sommes-nous pas tous ce soir à Bellefontaine?

— Je ne veux pas que Michel soit malheureux.

Ce cri avait échappé à Gabrielle. Surprise de tant de véhémence chez une personne aussi réservée, Irène la considéra avec perplexité.

— Ni vous non plus, se hâta d'ajouter la vieille demoiselle.

— Je ne comprends plus. Vous-même souhaitiez que nous divorcions...

Gabrielle l'interrompit pour lui demander à brûle-pourpoint :

— Aimez-vous Michel?

La jeune fille ne sut que répondre, elle ne s'attendait pas à une question posée aussi abruptement.

— Répondez-moi très franchement.

Irène était trop agitée de sentiments contradictoires pour répondre par oui ou par non.

— Franchement? Je ne sais pas, je ne sais plus! balbutia-t-elle.

Gabrielle hocha la tête.

— Si vous ne l'aimiez plus, vous auriez répondu non sans hésiter. Quel effet cela vous a-t-il fait de m'entendre conseiller le divorce?

Irène sentit ses yeux s'embuer. Gabrielle lui tapota le bras.

— Venez vous asseoir près de moi, dit-elle.

Toutes deux allèrent prendre place sur le sofa du boudoir.

— L'amour est si fragile et si rare! soupira Gabrielle.

Irène ne put s'empêcher de regarder la vieille demoiselle avec étonnement en l'entendant parler d'amour avec tant de ferveur, elle qui, de l'avis de tous, avait mené une vie si vide et si monotone.

« Elle ne connaît sans doute l'amour que par ouï-dire ou par ses lectures, pensa Irène. Comment peut-elle en parler? »

Pour ne pas peiner Gabrielle, elle la laissa poursuivre, tout en doutant que ses conseils puissent lui être d'un grand secours.

— Je suis persuadée que Michel vous aime, assura Gabrielle.

L'étonnement d'Irène allait croissant.

— Vous l'a-t-il dit?

— Il ne m'a rien dit, mais j'ai bien remarqué de quel air il vous regarde quand il ne se croit pas observé. Voyez-vous, je le connais bien mon Michel.

— Alors, si vous êtes certaine que Michel m'aime et que

je l'aime aussi, pourquoi nous conseillez-vous de divorcer?

— Que vous êtes enfant! Pour que vous en preniez conscience, tout simplement. Je vous vois vous enferrer tous les deux sans raison dans une attitude stupide.

— Sans raison!

Irène laissa échapper un long soupir de désenchantement. Il lui répugnait de dévoiler la vérité à Gabrielle.

— Il y a mille raisons, fit-elle. Et j'ai bien senti que Mme de Brétigny ne me porte pas dans son cœur et qu'elle influence son fils.

— Je ne permettrai pas à ma sœur d'empêcher Michel d'être heureux.

Le ton farouche avec lequel Gabrielle avait proféré ces paroles était si inhabituel qu'Irène en fut ébahie. Décidément, Gabrielle lui apparaissait sous un jour nouveau.

Irène ouvrait la bouche pour lui demander comment elle comptait s'y prendre quand des appels retentirent soudain, troublant le silence de la nuit. Quelqu'un hélait le majordome. Celui-ci sortit sous la véranda, poussa de grandes exclamations et répondit quelque chose d'inintelligible, qui ne renseigna pas les deux femmes qui écoutaient.

D'un même élan, elles allèrent ouvrir la croisée et regardèrent au-dehors. Une sorte de procession arrivait du fond du parc, empruntant la longue allée bordée de cocotiers. En tête, plusieurs hommes marchaient à pas lents, une torche de résine à la main pour éclairer la route. D'autres suivaient en désordre, masquant de leur présence quelque chose qu'Irène discernait mal.

Pressentant qu'un événement grave venait de se produire, elle s'élança hors du boudoir et descendit à toute allure. Elle rejoignit le cortège au moment où il s'arrêtait devant la résidence.

Écartant tout le monde sur son passage, elle se trouva

124

devant quatre jeunes Martiniquais portant un brancard de fortune confectionné à l'aide de jeunes troncs et de branchages, sur lequel un homme était étendu. De lourds nuages voilaient la lune. De prime abord, elle ne distingua, à la lueur tremblotante des torches, que des mèches blondes et une chemise blanche. Puis, brusquement, elle comprit. L'homme qui gisait là sur cette civière, les yeux clos, le visage aussi blanc que son vêtement, c'était Michel.

Elle poussa un cri déchirant, avant de s'abattre sur le sol, privée de connaissance. Gabrielle, qui arrivait à son tour, n'eut que le temps de la recevoir dans ses bras.

Alertée par le bruit, Mme de Brétigny parut également. Elle prit en main la direction des opérations, donnant des ordres d'un ton impératif. Elle fit transporter son fils dans sa chambre et envoya chercher le meilleur médecin des îles.

En reprenant ses sens, Irène fut tout étonnée de se voir étendue sous la véranda, Gabrielle à ses côtés qui lui bassinait doucement les tempes. Peu à peu, la mémoire lui revint et elle se redressa vivement.

— Que s'est-il passé? questionna-t-elle. Pourquoi ramène-t-on Michel sur une civière?

— Il a eu un accident de cheval, expliqua Gabrielle. Il est sorti tout à l'heure pour faire une promenade. Son pur-sang est fougueux, il a dû être effrayé par quelque chose d'insolite dans l'obscurité. Il aura fait un écart et Michel, pourtant excellent cavalier, a été projeté au sol.

De plus en plus alarmée, Irène se hâta de rejoindre le chevet de Michel, mais Mme de Brétigny s'interposa.

— Trop de monde autour de lui le fatiguerait, déclara-t-elle d'un ton péremptoire.

Elle se plaça devant le lit pour bien indiquer qu'on ne passait pas.

— Il vaut mieux vous retirer. Je vous ferai tenir au courant.

— Je veux être là quand il reprendra connaissance, protesta Irène, je veux le soigner.

Elle s'avança, Mme de Brétigny tendit le bras pour barrer le passage.

— Il n'a nul besoin de vous, trancha-t-elle sèchement.

— Mais de quel droit m'empêchez-vous de rester?

Gabrielle était restée debout au milieu de la pièce, comme absente de la discussion, fixant Michel d'un regard anxieux. En entendant la protestation d'Irène, elle parut tout à coup se rendre compte de ce qui se passait. Avec une fermeté surprenante venant d'un être si frêle, elle s'interposa :

— Il ne faut pas empêcher Irène de rester au chevet de Michel.

Mme de Brétigny regimba violemment.

— C'est hors de question.

Gabrielle vint se placer devant sa sœur et soutint son regard. Sans la quitter des yeux, elle fit signe à Irène de s'avancer et d'aller se placer auprès du lit.

— J'exige qu'Irène reste auprès de son mari, répéta-t-elle, en détachant toutes les syllabes.

Un moment, les deux sœurs se toisèrent. Une vigueur imprévue semblait habiter Gabrielle, elle paraissait décidée à résister aux attaques de Mme de Brétigny.

A l'étonnement d'Irène, ce fut celle-ci qui lâcha prise :

— Qu'elle reste si elle veut! acquiesça-t-elle, visiblement irritée.

L'arrivée du médecin fut saluée avec soulagement. Il s'était fait accompagner d'une infirmière et exigea qu'elle assiste à l'examen du blessé. Réunies dans un coin de la chambre, Irène, Gabrielle et Mme de Brétigny attendirent en silence.

Enfin, après un temps fort long, le médecin vint vers elles.

— Comment est-il, docteur?

D'une même voix, elles avaient toutes trois posé la question en même temps.

— Il m'est impossible de me prononcer maintenant.

— Qu'a-t-il? Est-ce si grave?

C'était Gabrielle qui s'était avancée et qui s'informait fébrilement.

— Dites-nous toute la vérité, docteur, supplia-t-elle.

— Je ne peux rien vous dire de précis. Il souffre d'un traumatisme crânien dû à sa chute. Il devrait reprendre connaissance au cours de la nuit, de ce fait, tout rentrerait dans l'ordre et il en serait quitte pour un repos de quelques jours.

— Sinon? demanda anxieusement Irène.

— Il nous faudra alors aviser. S'il n'a pas repris connaissance l'affaire est plus sérieuse. Il faudra le faire transporter dans un centre hautement spécialisé pour procéder à des examens approfondis, mais supportera-t-il le voyage? Pour le moment, nous n'en sommes pas là, nous aviserons demain.

— Pensez-vous, docteur, qu'il souffre d'une fracture du crâne?

Irène avait posé cette question d'une voix à peine audible.

— Nous verrons cela à la radio, madame.

— Mais encore...

Le médecin eut un geste évasif.

— Il m'est impossible de vous en dire plus pour le moment. Je vais demander l'assistance d'un infirmier qui apportera des bouteilles d'oxygène. Nous ne pouvons qu'appliquer les soins et attendre.

— Attendre! murmura Irène en pâlissant.

Le praticien la regarda par-dessus ses lunettes.

Quant à vous, vous allez me faire le plaisir d'aller vous coucher.

Ma place est auprès de Michel, je veillerai sur lui.

Pas question. Vous gêneriez plutôt. Le blessé a besoin de soins intensifs et du plus grand calme. J'interdis la présence de la famille.

Tout en parlant, il avait saisi sa trousse.

Je reviendrai demain matin, fit-il. Jusque-là, il faut vous armer de patience.

Il s'avança en direction de la porte.

Et de courage! ajouta-t-il, sans se retourner.

Lidoire, le vieux Martiniquais chargé de s'occuper des chevaux, vint prendre des nouvelles. Il était la dernière personne à avoir vu Michel avant l'accident. Interrogé par Irène, il raconta l'arrivée du jeune maître de Bellefontaine aux écuries.

Comme un fou qu'il était Mussieu Michel! répétait-il. Jamais je l'avais vu comme ça.

— Vous n'avez pas essayé de le retenir?

– Autant essayer de 'eteni' le vent qui passe. Va-t-en voï'. Pa'ti' en pleine nuit avec *an zanimo pareil* [1].

Il ajouta plus bas :

Je ne c'oyais pas *me zié* [2]. Mi suis demandé s'il ne le che'chait pas l'accident.

A cette pensée, Irène se sentit envahie d'effroi.

— Il ne faut pas dire des choses pareilles, protestat-elle. Michel est un fanatique de l'équitation. Il a voulu faire une promenade pour se détendre. Ç'est tout.

Lidoire prit un ton confidentiel :

1. Partir en pleine nuit avec un animal pareil.
2. Je n'en croyais pas mes yeux.

— *Moin ka pas palé à pe'sonne.* Mais il avait que'que chose, ce *nhomme la* [1].

Irène voulait éviter que de nouvelles rumeurs se propagent.

— Je vous assure que cette promenade n'a rien d'étrange pour un cavalier accompli tel que Michel.

Mal convaincu, Lidoire lui dit bonsoir. Tout en s'éloignant, il marmonnait encore :

— *Pa'ti' comme ça!* En pleine nuit! Au g'and galop! *Avé cé chuval-là!* Ça donne quand même à *chongé!* [2]

1. Moi, je n'en ai parlé à personne. Mais il avait quelque chose, cet homme-là.

2. Avec ce cheval-là! Ça donne quand même à réfléchir!

14

Et l'attente commença.

Réfugiée dans son boudoir, Irène se sentait si agitée qu'il lui était même impossible de rester assise. Le grave danger qui planait sur Michel l'avait contrainte à s'avouer son sentiment. Elle n'en pouvait plus douter maintenant, elle l'aimait de toutes ses forces, de toute son âme, de toutes les fibres de son corps. Et elle s'en apercevait juste au moment où...

La jeune fille eut un geste comme pour repousser une sombre perspective. Michel allait revenir à lui, recouvrer la santé. L'amour qu'elle lui portait, qui la submergeait, serait assez puissant pour vaincre le sort. Elle ne voulait pas perdre Michel, elle ne pourrait vivre sans lui. Mais lui? Pour quelle raison l'avait-il épousée? Était-ce vraiment par désespoir qu'il s'était lancé dans cette course folle en pleine nuit?

Incapable de rester seule avec son angoisse, elle résolut d'aller voir Gabrielle. Elle la trouva très abattue. Sa peine se lisait sur son fin visage aux traits affaissés. La vieille demoiselle essaya pourtant de sourire en voyant paraître Irène.

— Venez, dit-elle.

— Je ne veux pas vous importuner...

— Votre présence me fait du bien au contraire.

Elle porta à ses yeux un mouchoir de fine batiste.

Irène détourna la tête pour ne pas la gêner. Elle comprenait l'affection de cette femme âgée, n'ayant jamais eu d'enfant, pour son unique neveu.

— Mon Dieu! Pourvu qu'il en réchappe!

Cette plainte proférée à mi-voix avait échappé à Gabrielle. Malgré sa propre inquiétude, Irène entreprit de la rassurer.

Un bruit les alerta. Elles sortirent dans la galerie et prêtèrent l'oreille. On traînait un objet lourd sur le parquet de la chambre de Michel. Irène comprit qu'on manipulait une bonbonne d'oxygène. Gabrielle se précipita et alla frapper. Au bout de quelques instants, l'infirmière entrouvit la porte.

— Que se passe-t-il? Est-il plus mal? questionna fébrilement Gabrielle.

— Rien, mademoiselle. Nous appliquons le traitement, c'est tout. Excusez-moi, on m'attend.

Elle referma le vantail sans plus d'explication.

Irène entraîna Gabrielle.

— Ne restons pas là.

Elle la reconduisit chez elle. Le regard égaré, la vieille demoiselle se laissa tomber dans un fauteuil.

— Je veux qu'il vive, prononça-t-elle soudain. Qu'il vive et qu'il soit heureux avec vous. Il vous aime, il n'y a pas à en douter. Sinon, pourquoi serait-il parti ainsi en pleine nuit?

Voyant son état d'exaltation, Irène jugea préférable de ne pas la contredire. Après un silence, Gabrielle se mit à parler lentement, d'un ton contenu:

— Si vous saviez ce que Michel représente pour moi! Et ce que vous représentez tous les deux! Oh, je me doute de ce que vous pensez: qu'une vieille fille comme moi est heureuse de vivre les histoires d'amour des autres. Pourtant, moi aussi j'ai connu l'amour. Moi aussi, j'ai connu la passion!

Elle rencontra le regard surpris d'Irène.

— Vous vous étonnez, pourquoi? C'est vrai, je n'étais pas très belle, je n'étais plus très jeune, mais toutes les femmes, sans aucune exception, peuvent vivre une merveilleuse histoire d'amour. Pas seulement Juliette et Iseult.

Elle replongeait dans le passé.

— En effet, je n'étais plus une toute jeune fille quand j'ai connu Guy. Il avait fait une licence de Droit et était très pauvre. Mon père l'avait engagé en qualité de secrétaire et il vivait avec nous à Yvonville. Ma sœur était mariée, mon père veuf, c'est moi qui dirigeais la maison.

Perdue dans ses souvenirs, Gabrielle rêvait tout haut.

— Je n'avais jamais rencontré l'amour et je pensais que je ne le rencontrais plus jamais. Je lisais beaucoup. Souvent, j'allais dans la bibliothèque chercher des livres. Guy s'y trouvait toujours.

Irène écoutait ces confidences murmurées d'une voix douce.

— Peu à peu, nous avons appris à nous connaître, nous avons découvert nos goûts communs. L'amour est né sans que nous y prenions garde. Un beau jour, nous nous sommes aperçus que nous étions destinés l'un à l'autre. Hélas, mon père était un homme de la vieille école, imbu de sa caste et de sa richesse. J'ai tenté de le fléchir en lui avouant notre inclination. Il est entré dans une violente colère, jurant qu'il ne consentirait à aucun prix au mariage de sa fille aînée avec un besogneux, comme il disait. Sur l'heure, il chassa Guy. Celui-ci se mit tout de suite en quête d'une situation afin que nous puissions nous marier, malgré l'interdiction de mon père.

Manifestement, il en coûtait à Gabrielle de remuer ces souvenirs si longtemps enfouis au fond d'elle-même. Elle baissa les yeux pour avouer :

— Le soir même du jour où il fut chassé, je rejoignis Guy en cachette et, pour la première fois, je me donnai à lui. En apparence, j'avais cédé à la volonté de mon père et je m'étais résignée, mais, chaque jour, je m'absentais sous les prétextes les plus divers et je courais rejoindre Guy. Nous étions si heureux ensemble ! Il était bon, tendre et tellement beau !

Elle parlait comme si rien ne pouvait plus l'arrêter.

— Un jour, je m'aperçus que j'étais enceinte et je courus l'annoncer à Guy. Fou de joie, il résolut de m'enlever et de m'épouser au plus vite. Il fut décidé que je m'enfuirais de nuit et qu'il viendrait me chercher en auto. Je réunis un léger bagage et j'écrivis à mon père une lettre que je laissai en évidence dans ma chambre. A l'heure convenue, je sortis sans bruit de la gentilhommière par une petite porte donnant sur les champs et j'attendis Guy.

Gabrielle soupira longuement.

— C'était l'été. Il faisait lourd et orageux. Le temps passait, Guy n'arrivait pas. Incommodée par la chaleur, je me sentais malade d'angoisse. Toutes les raisons qui pouvaient empêcher Guy de venir défilèrent dans ma tête. A deux heures du matin, l'orage éclata.

La voix de Gabrielle se brisa.

— J'avais compris qu'il ne viendrait plus mais je ne voulais pas rentrer à la maison. Je souhaitais mourir là, avec l'enfant que je portais, sur le bord de la route. Je ne me suis même pas rendu compte quand la foudre est tombée sur l'arbre qui m'abritait.

Irène écoutait, émue, cette bouleversante confession.

— On me découvrit, on me ramena, inconsciente, à la gentilhommière. Mon père avait trouvé la lettre. Il me fit transporter, en hâte, dans une discrète clinique de la région parisienne. Ce fut un miracle que je ne perde pas mon enfant, je suis restée trois semaines entre la vie et la mort. Quand je revins à moi, personne ne voulut me donner des nouvelles de Guy. Je me heurtais au mur du silence.

— Comme vous avez dû souffrir! chuchota Irène.

— J'ai touché le fond de la détresse humaine. Je me sentais abandonnée de tous, dans une situation pitoyable. De nos jours, une mère célibataire est parfaitement admise, mais il n'en était pas de même naguère. Une femme qui avait un enfant sans être mariée était tout simplement une fille-mère rejetée avec mépris dans toutes les classes de la société. Pour mon père, c'était une tare honteuse. Il m'évinça de la famille. Moyennant une forte somme, une dame de province consentit à me prendre en pension sous une fausse identité. Il était entendu que je cacherais ma grossesse chez elle et que j'y ferais mes couches.

— Mais comment a-t-on pu vous faire disparaître ainsi sans provoquer un étonnement général?

— Mon père a prétendu que j'étais à la montagne à la suite d'un léger accident pulmonaire, répondit Gabrielle.

Elle se tourna vers Irène.

— Le plus terrible était d'être sans nouvelles de Guy. De passer des jours et des nuits à me torturer en me demandant pourquoi il n'était pas venu me chercher. Tous les liens avec le monde étaient coupés. J'étais sévèrement surveillée et mon courrier contrôlé. Un jour que je feuilletais un magazine vieux de plusieurs mois, j'y trouvai un article annonçant la mort d'un parlementaire. Je lus l'article et je tombai évanouie.

Gabrielle ferma les yeux et accota sa tête sur le dossier du fauteuil. Irène lui prit affectueusement la main. Ce geste la réconforta, elle poursuivit :

— Quand je revins à moi, je cachai soigneusement la cause de ma syncope. Je venais de lire qu'au cours d'une collision entre deux voitures, tout près d'Yvonville, le député avait été mortellement blessé et le chauffeur de l'autre véhicule tué sur le coup. On donnait son nom : c'était Guy.

Du fond de l'horizon, on voyait poindre les feux de l'aurore annonçant que la nuit s'achevait.

— Je n'eus plus alors qu'un seul but, continua Gabrielle : me consacrer à mon enfant et partir pour un lieu où je serais inconnue, loin de ma famille puisqu'elle me rejetait. Quelques jours plus tard, le bébé naquit.

Fièrement, elle redressa la tête.

— Ce fut le plus beau jour de ma vie.

Une légère crispation agita son visage.

— Mais mon père vint me voir tout de suite après la naissance. Il m'apprit que ma sœur avait eu également un enfant, né une semaine avant le mien. Malheureusement, le bébé souffrait d'une malformation congénitale du cœur et il venait de succomber. C'était d'autant plus dramatique que tous les médecins étaient formels : la mère ne pourrait plus avoir d'enfant.

Un long moment, elle s'interrompit. Irène respecta son silence. Gabrielle reprit la parole, d'une voix étouffée :

— Mon père venait me proposer un étrange marché. Il emporterait mon bébé, qui vivrait sous le nom de celui de ma sœur, et on déclarerait le mien comme décédé quelques jours après sa naissance. Une substitution d'enfant, le vivant prenant la place du disparu. Mon père me fit miroiter la chance inespérée que représentait l'entreprise. Au lieu d'être un paria souffrant toute sa vie de sa situation incertaine due à sa naissance, l'enfant verrait s'ouvrir toutes grandes les portes de la vie. A la condition, toutefois, que j'accepte de m'effacer à jamais. Il fallait me décider très vite. J'ai passé une nuit d'agonie à délibérer avec moi-même, pesant le pour et le contre, déchirée entre mon amour maternel et l'intérêt de mon enfant. Au matin, ma décision était prise : je me sacrifierais pour son bonheur.

En prononçant ces dernières phrases, Gabrielle s'était

levée. Son émotion atteignait au paroxysme. Ne se contenant plus, elle jeta un cri déchirant :

— Vous comprenez maintenant pourquoi je veux que Michel soit heureux. C'est parce qu'il est mon fils!

15

L'INFIRMIÈRE s'effaça pour laisser passer Irène.

— Vous pouvez entrer, chuchota-t-elle.

— A-t-il repris connaissance?

— Allez le voir, je vous laisse seule avec lui.

La chambre était encombrée de bouteilles d'oxygène et d'appareils médicaux à l'aspect inquiétant. Irène s'approcha du lit de Michel. Comme la veille, il gisait, immobile, les yeux fermés. Elle se pencha vers lui et l'embrassa. Une barbe naissante ombrait le menton et les joues livides.

— Michel! appela-t-elle, à voix basse.

Il ne bougea pas.

« La nuit n'a donc apporté aucune amélioration », pensa-t-elle, déçue.

Le désespoir la saisit. Elle se laissa tomber à genoux à côté du lit, le front appuyé sur la main de Michel qui pendait, inerte.

— Michel! Mon chéri! balbutia-t-elle, reviens à toi! C'est trop affreux de te voir ainsi.

En proie à l'épouvante, elle continua :

— Est-ce à cause de moi que tu es ainsi? Comment savoir! Es-tu parti dans la nuit, désespéré à l'idée de notre séparation? Ou redoutais-tu qu'un divorce te fasse perdre tout droit à l'héritage? Oh, Michel! si tu étais conscient, jamais je n'oserais te poser ces questions. Que m'importe après tout ce que tu as fait dans le passé, l'essentiel est que tu guérisses et que tu vives. Je ne connaîtrai peut-être jamais tes sentiments, mais moi...

Sa voix se fit ténue comme un souffle.

— Moi, je t'aime, avoua-t-elle.

Elle contempla le visage figé.

— Je ne puis plus le nier, gémit-elle. Michel, je t'ai menti quand je t'ai dit que je t'avais épousé par intérêt. Je t'aime, je t'aime et je n'ai jamais aimé que toi!

Un long sanglot lui échappa.

La porte s'ouvrit brusquement sous la poigne énergique de l'infirmière.

— Il ne faut pas rester aussi longtemps, madame, notre malade a besoin de repos, remarqua-t-elle d'un ton de blâme.

Irène se releva.

— Comment va-t-il? demanda-t-elle. Peut-on espérer?

— Le médecin va venir tout à l'heure. Vous le lui demanderez.

Après un dernier coup d'œil à Michel, Irène sortit à regret.

Elle regagna son boudoir. De toute la nuit, elle n'avait dormi. Elle s'allongea sur le sofa pour prendre un peu de repos, en attendant le passage du médecin. Sentant la fatigue l'envahir, elle ferma les yeux et se laissa aller.

— Irène, vous m'entendez?

La jeune fille entrouvrit les yeux, étonnée de se trouver étendue sur le sofa, la tête lourde et les membres courbatus.

— Réveillez-vous, dit Gabrielle.

— Le médecin est-il arrivé? demanda Irène.

140

— Il vient de repartir après la seconde visite de la journée.

— Sa seconde visite? Mais quelle heure est-il?

— Cinq heures de l'après-midi.

— Cinq heures? Ce n'est pas possible!

— Mais si. Vous dormez depuis neuf heures ce matin. Levez-vous vite et venez voir Michel.

— Il ne va pas?

Gabrielle ne répondit pas et aida Irène à se mettre debout. Celle-ci passa rapidement dans la salle de bains. Elle retira son peignoir tout froissé et s'aspergea abondamment le visage avec de l'eau fraîche. Elle rejeta à grands coups de brosse la masse de ses cheveux et passa un déshabillé de lourde soie vert pistache.

— Je suis prête, annonça-t-elle.

Devant la porte de la chambre de Michel, elle eut une hésitation.

— Entrez, dit Gabrielle, l'infirmière s'est absentée.

— Vous ne venez pas?

— Non, tout à l'heure. Une seule visite à la fois.

Irène entra sans bruit. Elle traversa la pièce, seulement éclairée par les rais lumineux filtrant à travers les lamelles des stores vénitiens, et s'approcha du lit sur la pointe des pieds. En voyant que Michel avait les yeux ouverts, elle poussa un petit cri de surprise.

— Michel! Vous avez repris connaissance. Quelle joie!

Il sourit. Son visage était moins pâle, mais il paraissait être encore très faible.

Irène restait devant le lit, remplie tout à coup de timidité.

— Approchez-vous, proposa Michel.

Elle vint s'asseoir à son chevet.

— Cela vous fait donc tant de plaisir de me voir sauvé? questionna-t-il.

— Oh oui!

L'exclamation avait jailli spontanément. Irène s'aperçut que le regard de Michel la scrutait, elle se reprit :

— Bien sûr, nous étions tous si inquiets.

— Et vous?

— Moi aussi.

— Je ne peux pas encore beaucoup parler, pourtant je voudrais vous rassurer.

— Je suis rassurée en vous voyant et en vous entendant.

— Ce n'est pas de cela que je veux parler, mais de votre situation personnelle.

Devant l'air intrigué de la jeune fille, il expliqua :

— J'ai beaucoup réfléchi à nous. Vous m'avez soupçonné de vous avoir épousée pour pouvoir hériter de la comtesse de Brétigny. Ce reproche venant de vous m'a blessé au-delà de ce que vous pouvez imaginer. C'est ma tante Gabrielle qui a raison. Il vaut mieux divorcer. C'est le seul moyen dont je dispose pour vous prouver que je suis incapable d'un calcul aussi machiavélique, que les sentiments que j'éprouve m'importent plus que cet héritage. Ainsi, j'en perdrai le bénéfice et je vous démontrerai...

Il marqua un temps.

— Que je vous ai épousée pour une toute autre raison, fit-il, sans la regarder.

Irène sentit sa vue se brouiller. Elle voulut répondre, mais sa gorge contractée ne laissa passer qu'un son rauque.

— Que dites-vous? demanda Michel. Je n'ai pas compris.

— Je n'ai rien dit.

— Je prendrai tous les torts à ma charge, continua-t-il, et j'assurerai largement votre subsistance.

Irène était incapable de prononcer une parole.

— Répondez-moi, insista-t-il. Qu'en pensez-vous?

Ne pouvant se dominer plus longtemps, elle se dressa d'un bond.

— Je pense... que vous êtes encore trop fatigué pour discuter de cela aujourd'hui. Mais que si vous voulez divorcer, eh bien! divorçons. Je m'en moque éperdument, puisque je ne vous aime pas.

Sa voix s'emplissait de sanglots.

— Non, je ne vous aime pas, répéta-t-elle, têtue.

Michel ne la quittait pas des yeux.

— C'est curieux, dit-il lentement. Je ne savais pas que j'avais épousé une menteuse...

Irène sursauta, comme piquée par une tarentule.

— Moi? Vous me traitez de menteuse?

— Oui. Et je vous prends sur le fait.

— Qu'insinuez-vous?

— Répétez ce que vous m'avez dit ce matin.

La jeune fille devint rouge comme une cerise.

— Ce matin... bredouilla-t-elle. Mais vous étiez inconscient!

— Que vous prétendez.

— Comment! Que je prétends!

— Ce matin, quand vous êtes venue, j'avais toute ma lucidité.

— Et vous m'avez laissée croire...

— Je vous ai laissée croire. Quelle autre occasion aurais-je eue de connaître le fond de votre cœur?

— Mais alors, fit Irène interdite, vous avez entendu tout ce que je vous disais.

— Absolument tout.

Elle planta son regard dans celui de Michel.

— Et vous voulez divorcer? questionna-t-elle.

— Moi, je n'y tiens pas. Toutefois, je suis prêt à le faire pour vous rassurer.

— Seulement pour me rassurer?

— Et vous prouver mes sentiments.

— Vous m'aimez donc?

— Vous êtes celle auprès de qui je veux vivre.

— Pourtant, une certaine autre...

— Croyez-vous que j'aie été dupe un seul instant des manigances d'une coquette et que je m'y sois laissé prendre? Pour moi, vous êtes la seule.

Irène se prit la tête dans les mains.

— Ce n'est pas possible, c'est un rêve! murmura-t-elle.

— Je connais un excellent moyen de rendre votre rêve encore plus agréable. Penchez-vous vers moi et tendez-moi vos lèvres. Vous pouvez bouger à votre aise, vous! ajouta-t-il, narquois.

Elle s'inclina vers lui. Leurs lèvres se joignirent. Un doux vertige saisit Irène. Elle restait soudée à ces lèvres chaudes et sensuelles qui s'étaient saisies des siennes et ne les lâchaient plus.

— Hum! Hum!

L'interjection, lancée d'une voix de stentor par l'infirmière qui entrait, les fit sursauter.

— Je vous rappelle qu'il vous faut observer le plus grand calme, monsieur, remarqua-t-elle.

— Mais je l'observe, mademoiselle, je l'observe, affirma Michel.

Il regarda Irène et fit une mimique expressive. Tous deux éclatèrent de rire.

L'infirmière ne riait pas, elle fronça le sourcil.

— Sauve-toi vite, recommanda Michel à Irène, je vais me faire gronder.

— A tout à l'heure!

Avant de sortir, Irène se retourna et, du bout des doigts, envoya un baiser à Michel.

Irène sortit de son bain et s'enveloppa dans le douillet peignoir d'éponge que lui présentait Aglaé.

— C'est vous la plus belle, affirma celle-ci.

Tu exagères, fit Irène, il y a bien d'autres femmes qui me valent.

Je ne trouve pas. Vous avez quelque chose d'extraordinaire.

— Et quoi donc?

— Des yeux de deux couleurs.

Irène se mit à rire.

— Mes yeux ne sont pas de deux couleurs, ils sont changeants. Il est vrai qu'ici ils se remarquent, tout le monde a les yeux noirs.

Aglaé prit un air mystérieux.

— Vous savez que c'est à cause de la couleur de vos yeux que le sorcier vaudou voulait vous supprimer?

Irène sentit un frisson de peur rétrospective lui parcourir l'échine. Elle se dépouilla de son peignoir, revêtit un déshabillé et prit place devant sa coiffeuse.

— Peut-être pas me supprimer...

— Si, vous supprimer, insista la jeune Martiniquaise. Il prétendait y voir le signe que vous étiez une réincarnation, ce qui vous aurait assuré des pouvoirs supérieurs aux siens. Vous deveniez une rivale. C'était un Haïtien. Là-bas, ils ont de drôles de croyances. Il vous a agressée sur la plage et c'est encore lui qui vous a assommée la nuit du Vaudou. Il a expliqué aux autres que c'était le diable qui vous avait guidée vers le lieu de la cérémonie, sur sa demande.

Elle eut un petit rire de gorge.

— C'est lui en fin de compte que le diable est venu prendre!

— Comment cela?

— Il a eu peur d'être recherché par la police et il a voulu se sauver. Avec ses trois principaux acolytes, il s'est embarqué sur une pirogue à destination d'Haïti.

Aglaé esquissa des signes de croix.

— On a retrouvé la pirogue chavirée, dit-elle en baissant le ton. Et la mer a rejeté les quatre Haïtiens.

Irène écoutait le récit avec attention. Michel s'était absolument refusé à lui reparler de cette affaire, lui conseillant de l'oublier au plus vite. Mais les propos d'Aglaé avaient piqué sa curiosité.

— Je suis tranquille, maintenant, conclut-elle, puisque les personnes qui me menaçaient ont disparu. Toi non plus, tu n'as plus à t'inquiéter ni à me conseiller de m'adresser au *quimboiseur* pour me protéger, ajouta-t-elle, pour taquiner Aglaé.

Celle-ci regarda Irène avec une expression énigmatique.

— Sans l'aide du *quimboiseur,* jamais vous ne vous en seriez sortie, émit-elle doctement. Vous lui devez une fière chandelle.

— Mais puisque je ne l'ai pas consulté.

— Mais, moi, je l'ai consulté pour vous.

— Toi? Qu'est-ce que c'est que cette histoire?

— Vous aviez tort de ne pas vouloir croire ce que je vous disais. Pourtant tout allait mal, tous les malheurs vous tombaient dessus. Même votre mari avait le mauvais œil. Il a eu un grave accident. Est-ce qu'il n'a pas fêté ce soir son complet rétablissement? Vous étiez fâchés tous les deux. Est-ce qu'il n'est pas revenu à vous plus amoureux que jamais?

— Oui, reconnut Irène.

— Croyez-vous que cela se soit fait tout seul? J'ai pris une écharpe que vous aviez portée, une mèche de vos cheveux, que j'avais recueillie après le passage du coiffeur, et je suis allée trouver un sorcier pour le bien. Il a dû combattre, ça a été très dur. Mais vous voyez le résultat : le Haïtien a eu son choc en retour, un choc terrible, et vous, vous êtes heureuse. Dites un peu si c'est vrai?

Irène était interloquée.

— C'est vrai. Mais qu'a fait ton bon sorcier?

Aglaé eut un geste évasif.

— Ça, je n'ai pas le droit de vous le dire.

Irène embrassa en souriant la jeune Martiniquaise.

— C'est vraiment gentil à toi, je suis très touchée. Accorde-moi le plaisir de t'offrir, pour te remercier, une broche que tu iras toi-même choisir dès demain chez le meilleur bijoutier.

— J'accepte la broche, dit Aglaé vivement, mais il ne faut jamais sourire de ces choses-là.

A nouveau, elle fit trois fois le signe de croix.

On tambourinait discrètement sur la porte.

— Je me sauve, dit Aglaé, avec un clin d'œil malicieux. Voilà votre mari, vous n'avez plus besoin de moi.

Elle alla ouvrir la porte et se glissa au-dehors. Michel entra.

— Tout est prêt pour notre départ, annonça-t-il gaiement. Demain matin, en avant, toute! Destination : le tour des Antilles en bateau!

— Nous allons faire une croisière magnifique! s'exclama Irène.

— Je l'espère, dit Michel.

Brusquement, il rompit le ton et continua d'une voix contenue :

— Puisque le médecin me considère comme complètement rétabli et m'autorise à reprendre une vie normale, vais-je commencer avec toi cette nouvelle vie?

Irène pencha un peu la tête. Michel voyait son profil pur et bien dessiné, ses yeux étincelant comme de précieuses gemmes. Ses cheveux déroulés retombaient sur ses épaules en une masse incandescente. Son léger déshabillé l'enveloppait d'un nuage de mousseline, au travers duquel se devinaient le galbe de ses formes et l'arrondi de sa poitrine.

Michel vint vers elle. Elle sentit son approche et releva le front. leurs yeux se rencontrèrent. Irène frémit sous le regard passionné de Michel, elle eut une envie folle d'être près de lui. Il dut le deviner car il s'approcha et ouvrit les bras. Tout bas, elle murmura « Michel » et, fermant les yeux, s'abattit sur sa poitrine. Il l'étreignit avec ardeur, ses lèvres prirent les siennes. Elle se serra éperdument contre lui. Un long moment, ils restèrent enlacés, se grisant de leur propre amour.

Il détacha ses lèvres qui vinrent se poser sur le cou d'Irène, le couvrant de petits baisers, tandis que sa main glissait le long de son dos. Tout amollie, le cœur battant, elle haletait doucement sous la tendre caresse.

— Puis-je rester? demanda Michel tout bas. Nous partons à l'aube et notre nuit sera courte, mais je souhaite la passer avec toi. Ce sera notre première nuit... Je le désire tellement.

Les longs cils d'Irène battirent, elle cacha son visage empourpré au creux de l'épaule de Michel.

— Moi aussi, avoua-t-elle, éperdue de bonheur.

Sa voix n'était plus qu'un chuchotement.

— Irène! Ma chérie! murmura Michel.

Leurs lèvres se rencontrèrent à nouveau en un long baiser passionné.

ÉPILOGUE

IRÈNE regardait s'éloigner le petit port déjà empli, malgré l'heure matinale, d'une foule grouillante et animée se pressant sur les quais. Autour du yacht, les pêcheurs, debout dans leurs embarcations, se hélaient d'un bord à l'autre avant de partir au large lancer leurs filets.

La journée s'annonçait très belle. Le soleil montait à l'horizon. Sous le ciel d'un bleu turquoise, le yacht fendait les eaux, soulevant des gerbes d'écume qui venaient frapper son étrave blanche.

Simplement vêtue d'un bermuda et d'un léger tee-shirt, Irène se tenait à la poupe pour adresser des signes d'adieu à Gabrielle, venue assister au départ. Quand la vieille demoiselle ne fut plus qu'un minuscule point sombre, elle alla rejoindre Michel qui tenait la barre. Il manœuvrait avec habileté pour gagner la haute mer.

— C'est vraiment gentil à tante Gabrielle de s'être levée de si bon matin pour nous accompagner. Elle était émue de nous voir partir, remarqua-t-il.

— Elle t'aime énormément, dit Irène. Si tu avais vu combien elle était inquiète le soir de ton accident. Elle a été très affectueuse avec moi, me réconfortant avec une sollicitude toute maternelle.

— Oui, elle est très bonne. C'est curieux, j'ai souvent

pensé qu'elle aurait été pour moi une mère plus tendre que ne l'est ma propre mère.

Comme Irène, pensive, ne répondait pas, il insista :

— Ne crois-tu pas?

— Certainement, elle l'aurait été, approuva-t-elle. Il faudra que nous la voyions plus souvent. Nous l'inviterons à venir à Yvonville, je suis persuadée qu'elle en sera très heureuse.

Un air de mélancolie flottait sur le visage d'Irène.

— Ne t'attriste pas, reprit Michel, moi aussi je souhaite voir plus souvent ma tante Gabrielle, je l'aime beaucoup. Montre-moi tes yeux. De quelle couleur sont-ils ce matin? Sont-ils verts? Sont-ils bleus? Je n'ai pas fini de me poser la question. Quand ton regard s'assombrit, comme en ce moment, ils prennent des reflets gris. Tu as les plus beaux yeux du monde, je n'en ai jamais vu de pareils.

Il passa le bras autour de la taille d'Irène.

— Nous voilà seuls tous les deux entre le ciel et l'eau.

— Ne lâche pas la barre, s'exclama Irène, nous allons entrer en collision avec un autre bateau et nous ferons naufrage.

— Sois sans inquiétude, je peux lâcher la barre quand j'ai quelque chose de plus important à faire. T'embrasser, par exemple.

Irène se débattit en riant.

— Nous n'arriverons jamais à destination si tu es un navigateur aussi peu sérieux.

— Je suis si amoureux, confessa-t-il. Et nous avons perdu tellement de temps. Nous n'aurons pas assez de la vie entière pour le rattraper.

Saisi d'une impulsion de passion, il enlaça Irène et l'attira à lui.

Le bateau dérivait doucement sous le chaud soleil, bercé par la houle légère, avec pour seul équipage l'amour qui, désormais, allait le guider.

LE SYNDICAT DU CRIME

52ème état indépendant américain, état dans l'état, aux frontières incertaines, reconnu tacitement mais secret.

Le Syndicat du crime phénoménale puissance occulte, avec son gouvernement, ses chefs d'entreprises, ses financiers, sa justice et les exécuteurs chargés d'appliquer ses arrêts souverains.

Un dossier a n'y pas croire-tant il est noir — Un livre d'histoire. **L'histoire du crime organisé** révèlée pour la première fois dans son entier.

Un volume broché 6 x 10 — 300 pages $13.95.

COMMENT FAIRE VOTRE HOROSCOPE VOUS-MÊME

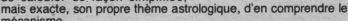

LES GOUFFRES DU COSMOS

Depuis dix ans les astronomes ont entrepris une chasse acharnée pour découvrir des astres étranges et invisibles, qui ont la curieuse propriété de s'effondrer sur eux-mêmes en retenant leur propre lumière et en aspirant tout ce qui se trouve à leur portée.

Ces astres fascinants, les plus extraordinaires qui se puissent imaginer à l'heure actuelle, ce sont les TROUS NOIRS.

Les TROIS NOIRS, ces gouffres du cosmos, sont peut-être des portes de sortie permettant d'accéder à des Univers parallèles, ou des tunnels permettant de se rendre instanténanément en n'importe quel point de l'espace, voire de voyager dans le temps . . .

"LES GOUFFRES DU COSMOS", premier ouvrage rédigé par un astronome français sur le thème des trous noirs, entraine le lecteur dans un étonnant voyage aux confins du possible.

Un volume de 245 pages 5 1 / 2 x 7 1 / 2 — $9.95.

COMME UN TAUREAU SAUVAGE

Jake La Motta, vous connaissez? Mais si, rappelez-vous... 1949, toute la France passant une nuit blanche, pendue à ce que l'on appelait encore la T.S.F., pour suivre les péripéties du match de boxe disputé aux Etats-Unis par le tenant de la couronne des poids moyens, un certain Marcel Cerdan. Quinze reprises, titre en jeu. Son adversaire victorieux? Jake La Motta.

Et, quelques mois plus tard, après la mort tragique de Cerdan, le "naufrage" de Laurent Dauthuille, battu treize secondes avant le terme de quinze rounds dramatiques. Le bourreau du Français? Encore et toujours La Motta.

Ce livre est son autobiographie. Le lecteur aura peut-être tendance à estimer que ça n'est pas possible, que La Motta en rajoute, qu'il a lu trop de romans noirs. Mais non, l'histoire qu'il raconte est vraie dans tous ses détails.

Cette autobiographie a donné naissance à un grand film produit par les Artistes associés, mis en scène par Martin Scorsese, avec Robert De Niro dans le rôle de Jake La Motta.

Un volume de 192 pages format 5 1/2 x 8 1/2 — $8.95

ÉVITA ET ISABELITA PERON

Deux femmes un homme.

Un quart de siècle de lutte pour le pouvoir, un quart de siècle d'amour et de haine, d'intrigues méprisables, de passions vraies de triomphes et de chutes, de mort et de survie. Grâce à Évita, Peron fût président de l'Argentine pendant 10 ans, grâce à Isabelita, il le redevint pendant près de deux autres années.

Dans des registres très différents, ces deux femmes ont joué des rôles qui tiennent à la fois de Lady Macbeth, de Catherine de Russie et de Joséphine Baker.

Un livre d'histoire passionnant qui se lit comme un roman.

Un volume de 302 pages format 5 1 / 2 x 7 1 / 2 — $8.50.